无岸之岛

维舟

著

天津出版传媒集团

天津人民出版社

目 录

0.0

"我知道，逼迫一个人去回忆是残忍的。"

周岚坐在我对面，她的脸笼罩在一团烟雾中，这使她看起来比实际年龄苍老一些，我想这正是她想要达到的效果，她在十五岁时就不希望被看作是一个小女孩，仅在最亲密的人面前例外。她这样说着，尽管如此，她还是有一个"最后的小小希望"。"把我们的故事写成小说吧，在小说中团聚。这不算非分的要求吧?"

是的，她的每一个要求都不是非分的。一贯如此。

"好，我答应你。"

她似乎吃了一惊："我以为你就算不拒绝，至少也不会这么爽快。"她凝望着我，似笑非笑，"看来这原本也是你自己想做的事，索性就装作满足我的要求了?"我把杯中剩下的一口茶水喝完，苦笑了一下："都被你说完了。"她瞟了我一眼，忍不住笑

1

起来。

很少人愿意面对过往的自己，何必呢？面对现在的自己就已经够累的了。至于过往，那仿佛是一个幽深的墓穴，入口处仍刻着掩埋者"禁止打扰"的诅咒。即便它不再作祟，仅仅走进这个幽暗的仓库，把其间凌乱堆放着的十万件杂物重新整理一遍也是一件苦差事，何况还会不经意中翻到许多层层叠叠之下的角落。那些就算已被遗忘，但从未被宽恕。可你为什么觉得写小说就意味着重新整理它？说实在的，我也记不清发生过什么了，那里好像一片荒漠，需要依靠某些往事的尸骸来作为识别的路标，虽然当你情愿时，在其中迷路也不失为一种难忘的经历，甚至可能会上瘾，但将它们重述出来，那是另一回事，那需要一种重新体验一次的冲动，而那是我久已丧失的力比多。

我默默打量着眼前这个女人。她今天没有化妆，剪短了头发，两只手微微肥白，这忽然让我想起她逝去多年的母亲。比起出国前，她略微丰满了一些，可能是因为思念让人发胖，毕竟忧愁和压力都需要用食物来化解。

她看了看我，莞尔一笑："你看，你都不问我为何有这样的要求，仿佛没有任何好奇心。"她这样说了，我才意识到自己在答应之后只是在出神。但我也没什么可说，我习惯了她没有理由的要求，这是保留给她的特权之一；也的确无须知道，这样可以不致因答案太简单而生出不必要的失望，何况她都说了我并非为了她的要求才答应写的。

"为何有这请求不重要，只要你将来别为这个请求后悔就好。"

大概是意识到了这个话题有些无法继续下去（这是重逢场面中不可避免但又应竭力避免的尴尬），她在停顿数秒后迅速换了个话题："你呢，最近怎么样？我的话题终结者。"

我抬头看了她一眼，她的语调有几分慵懒，包含着一种久违的娇嗔气息，在这一瞬间，时空发生了微妙的弯曲，她接住我的眼神，微微一笑；但我随即意识到，她与其说是真的对我眼下的生活感兴趣，倒不如说只是确证我并未发生大的变化，并顺便出于礼貌补上一个之前忘记的寒暄。在和她说话时，我会变得不同寻常地多疑，尽管我早已知道她并不像我原先想象的那么复杂，但我一直提防着她身上那种把简单的事情弄复杂的能力，因为事实一再证明那是我难以应对的。事实上，她谦称自己是个简单的女人，这绝不是意指头脑简单，而是说，在经历了复杂的世事之后，她花了很多努力才达到并保持住了这份简单。

"老样子。你知道我并不是一个喜欢变化的人。我也已三十六岁，生活不大可能再发生什么变化了。"我叹了口气说，事实上，我早在抵达这个年纪之前就已经认输了。

"你又不是六十三岁。虽然你一贯如此，但现在这样说，听起来就像是承认自己老了。"

"承认这一点没什么可耻的，我的青春期早就结束了。恐怕你也是。"

从茶馆出来，雨后的街上湿漉漉的，空气中混杂着一种尘土浸泡之后的气味。如果不是这样，在这座城市里很难感受到季节的变迁，仿佛它以巨大的空间压倒了时间的变化。这会让人产生一种错觉，似乎某些事就在昨天，甚至正发生在离此不远的另一个角落里，就在此时。夏天就要过去了。这有某种不祥的意味。该发生的事物尚未发生，它就这样结束了。

走下地铁站月台时，一辆车正要驶来，轻微的咔嗒咔嗒声从无比幽深的地方沉闷地传来，接着是一阵漫长的、越来越强烈的凉风推送过来，仿佛从一个木塞瓶里喷涌而出，最后才看到地铁的灯从弯道处亮起来。她的短发被这一阵长风吹起，风中混杂着她身上香水和隧道中尘土与机械的气味。我们都没说话。隐隐感觉她是在等我先开口，但正因意识到这一点，我也不想说话。

在地铁上，她翻出一本厚厚的小说，我瞥了一眼，看到一段话：你放着那么多长期以来渴望一看的国家、城市和地区——例如，阿拉斯加的大山和湖泊——不去，偏偏要回到这个你曾经发誓永不回来的岛上。这是不是颓废的征兆？是不是人到中年后多愁善感的表现？其实只是好奇而已。只是证明你可以漫步在这个已经不属于你的国家的城市的街道上，而丝毫引不起你的伤感、乡愁、怨恨、痛苦和愤怒。

她指给我看。"我有意让你看到，"她看着我说，"我猜你也读过。"

"当然。巴尔加斯·略萨的《公羊的节日》。我很意外你现在还会看拉美文学了，你那时都没表露出有这样的兴趣爱好。"

"我现在也没有。我是特意为这次重逢而读的，刚好在书店翻到这一页，就被吸引住了，但到现在也没读完，好像一直在反复读这个开头。"

"那等我把小说写好，希望你至少有耐心读完。我会注意把开头写得不那么有吸引力，以便你可以迫不及待地去跳读后面的部分。"

"我相信你不可能写得烂到让我连关于自己的小说都没兴趣读完的地步的。"

想了想，她又嫣然一笑："不过，在这部小说中，你要想把自己塑造成一个讨人喜欢的人物，倒也不是个轻松的任务。"

我笑笑，把话题岔开来："你在澳大利亚还好吗？"

"只是个大一点的岛。"

"一家人在一起就好了。"

"不，我先生在英国。另一个岛上。"

①.⓪ 宇宙膨胀

一个岛。唉，年轻的时候，我并不知道自己生活在一个岛上。

章承想过这个问题。在十八岁之前，他生活在一个岛上，说起来那不过是个弹丸之地，一千多平方公里，然而他平常并不能意识到自己所在的地方是一个岛。在村子里不会听到浪涛四面而来的声音，感受不到咸腥的海风，也不吃海鲜，只是寻常的乡下生活罢了。平坦的沙洲一直铺展开来，倒像是绵延不绝的大地的一部分。除了离开时需要坐船之外，很少有机会意识到那是个岛。村庄离江边（他们叫它"南海滩头"）还有好几里路，但并不知道另外几面是否真的不和任何陆地相连，只不过是所有人、所有地图都这么说而已。他那时从未去验证过这一点，也没有机会。这听起来的确是一个愚蠢的怀疑，虽然这年头鼓励人去怀疑，但把精力放在怀疑某些确定无疑的东西之上，毕竟是疯子才有的念头。

在所有人的感觉中，无论如何，岛屿总是一个有着确定边界的地方，仿佛一个界限分明的世界，自成一体，格格不入。在人生最初的十八年里，他有足够的时间观察这里的一草一木、看到的每一栋房子和遇到的每一个人。**一旦爱上其中的居民，城市也会变成宇宙。劳伦斯·德雷尔说。**生活了太久之后，岛也会变成宇宙，上面的居民则是一个个的星体；而两者在形态上也相似：都悬浮在无边的虚空之中。由于长江昼夜不息的水流每年带来新的泥沙到此淤积下来，这个岛每年还在不断生长，就像宇宙也在不断膨胀一样。

我所生活的地方，真的是一个岛吗？

当确定性被质疑的时候，宇宙就坍塌了。向内。又或者是膨胀了。向外。

十五岁那年，章承迎来了人生中第一个这样的时刻。仿佛一个坐在苹果树下的少年，毫无征兆地被一个宿命的苹果击中。当然，这或许多少也可归结为他个性中的缺陷，即：他这人集敏感与迟钝于一身，有时能从一个眼神中读出无数意味，有时却对他人的想法惊人地无所知觉。不论如何，直到那天下午踏进苦楝巷时，他也并未觉得有何异样，这使他在之后无数次回想起来时，情不自禁地将那时的自己设想成一只在进入幽暗森林时对即将降临的未知命运一无所知的野兽，虽然他其实远非如此无辜。

那时的苦楝巷很安静，每年初夏时节，几株高大的楝树满树摇曳的淡紫色小花，有时在夜里遥遥望去，像是开在月亮中一样，空气中弥漫着淡淡的清苦气息。那时每次来这里找许燕如，他常在树下稍稍定神。巷子两边青灰色的屋瓦里伫立着默不作声的瓦松，路面铺的是旧式的青石板，石缝间长满青草，只是行车时不免高高低低，多年后终于填平成水泥路面，又过了些年，整条巷子都在城镇建设的喧嚣中灰飞烟灭。尽管生活在这座泥沙冲积而成的岛屿上已经习惯了沧海桑田，无数房舍都早已掩埋在沙土之下，连县城都曾五迁六建，多次沦没在茫茫大水之中，但当他重回到那里时，仍不免感到一种强烈的时空错置感——站在那耸立的新楼前面，会感觉自己立在一片记忆的废墟之上，仿佛仍有碑文和骸骨可辨认。对于他这样保有过往印象的人来说，那就像一个流放归来的国王，在此追怀一个已遭毁弃的文明。为此，他在自己心里重建了苦楝巷，并有系统地拆除了周围的整片城区，以供自己深夜梦想时驰骋之用。在心底那虚拟的街道上，通常都只有他一个人独自徘徊。

在新城扩建之前，这座小城的任何一个角落都可以步行到达，构成一个结构紧实的茧。除了书店那个特别的宇宙空间之外，只有在这里，他才蜕化为一个恋物癖。到后来，他能感觉到那个城镇自成为一个有机体。那是一个破败的、毁灭了的世界，但重要的是它属于自己；在这个微不足道的地方，他就是一个神，掌管着墙角每一朵蘑菇的生长，每一只猫走过时的步幅，乃至每一根野草在风中的摆动频率。一棵树、一朵云、一只猫都是这立体画面中特殊的静物展品。所有的人物和树木在这里都永无衰老，长生不死。如果你是神，那这就是一座截然不同的城镇。

他想起科塔萨尔说的，在我的材料里，保存着一张城市地图，我在梦境里不断深入其间，陆续为之添加细节，广场，街巷，河道。在这里他无所不能。给每一个自己希望记住的东西都赋予了一个完整的形象和特定的位置，分门别类安放在那个与他自己共存的空间里。比起那些粗糙易碎的现实，他更钟爱这个幽暗而精致的世界。因为那足以对抗其余的世界。

它在时间上也私属于他。东边不远处枕着运河的村庄是他出生的地方，它保留着二十世纪八十年代的气息；潮湿破败的苦楝巷则无疑是 1991 年到 1992 年间的样子，时间在此后就已停摆；天气则恰到好处地令人绝望，一如它在当时应有的样子。他可以有意保持着时空的块状断裂，让这个街区和村庄分别呈现不同年代的面貌，而无须担心受到任何指责。

那其实只是一条普通的长街，两侧低矮的江南民宅每到夏季便阴暗潮湿，许燕如租住在这里时也曾抱怨过，尤其在夏季，还要应付墙角出现的蜗牛与壁虎。她从未真正适应南方的梅雨季节，这种不适感充斥在她对这座岛屿的想象中，提醒着她作为异乡人的身份。那种天气不仅是一种生活背景，还是一种文化心理和事件征兆。在事后的回想中，章承为自己进入苦楝巷时的天空布置好密布的阴云，那是铺陈气氛所必需的，使随后事件的发生不至于显得太过突兀。"此后多年，每到这样的天气，我的心里就充满了预感，怀疑即将发生什么，但却再也没有过。"

在长街两侧还有一些窄巷，往往走过去才是另一片豁然开朗的院子。那时她家暂住在一个院子的两间厢房里，他依稀记得屋角有一棵高大的榆树，树下有一个鸡窝。不错，镇上的居民那时也养鸡。窝棚旁架起两根枯树干，上面爬满了丝瓜和扁豆，黄色的丝瓜花和紫红色的扁豆花颇有几分刺眼，或许还有牵牛和茑萝。但他记不太清了，需要时可以再添加。那里他后来再没怎么去过。像是心理地图上一块不敢轻易触碰的伤疤，有特殊的磁场守护，以至于那个至关重要的院落始终有某些不清楚的地方，虽然把这个背景擦得太过干净或许也是没有必要的。

屋子里很暗。一张用了多年的木桌，由于许燕如习惯使用煤球炉而几乎被废弃的一眼土灶，斑驳的粉墙上用图钉钉着的被勾画了多次的陈旧年历，还有不断缓慢转动的吊扇，那符合一个夏日午后那种凄凉、溽热又萎靡的气息，带着某种一切事物都在走向尾声的无可奈何。在走进房间后，万物的走向已无可挽回。如果尚有一丝可能，通过改变一件小事来改变之后的所有事件，那么此刻时机已经丧失。每件事都可以在状态空间中反复发生并遍历每一种可能性，这一点他不是没有设想过，然而自己所处的却是一个非遍历态的世界，一件事只能发生一次，每次都无法通过试错来预见到成败得失的概率分布。"是的，我曾多次回想这个结尾的开头，太多次，多到我产生了一种'或许可以有点什么不一样的结局'的幻觉。直到后来意识到这只能称之为愚顽。""你的语气仿佛是一个懊恼自己失去了改变历史机会的文献学家。"

他进门时也注意到她神情冰冷，并不怎么看他，脸上带着像是拒收礼物时的那种表情，只是和哥哥许照如在忙忙碌碌地收拾东西。他有点走错房间的失措感，觉得自己应该说点什么，一时又找不到合适的词。他讪讪然地坐在那里，并未察觉有何异样，甚至能理解她的神情，**如果我的母亲刚下葬，我也不会有别的表情**，他这样想。

很久之后，他才找到合适的词语来描绘她当时的表情——那就像是看到太阳落山之后，再不指望它能升起。照如招呼他坐下，歉然说："不好意思，家里很乱，我们后天走，得好好整理下。"他心里一沉，问："去哪里？还回来吗？"照如比他更吃惊，看了一眼身旁低头若无其事忙碌的妹妹："燕子没和你说？我们全家去上海，不回来了。"

他不知道。固然，知道了又能怎样？他看着许燕如，心里布满不祥的预感。她仍不作声，脸色有几分苍白，眼角隐隐的似还有昨夜的泪痕，那一瞬间，他竟涌起一阵不合时宜的异样感觉，觉得她在悲伤而镇定之下的神情比平时更美。他怀着不安的预期等着她说话，在事后看来，就像是一个等待宣判的死刑犯。

她坐定下来，平静地将一朵孝女的白花缓缓插入发髻。不知为什么，这个动作后来在他梦中无数次循环回放，成为一个经典的电影慢镜头。飞矢不动，的确，正是如此。她说的话，由于他当时脑海中轰轰隆隆，大部分都已茫无记忆，但唯独这个充满画面感的场景，仿佛慢动作的定格，没有声音，没有感想，一如暴风雨来临前最后的平静一刻，在这个房间所组成的小宇宙里，维持着一种沉闷的强大低气压气旋。

她坐定在那里，开启两片朱唇，几个音节从她的喉咙里鱼贯而出，那是准备已久的一轮齐射：

"章承，我记得那天葬礼上你没来吧？"

不错，那就是宣判书。不用再多说了，此刻他终于迟迟意识到自己已铸下大错。他面色惨白，已被这句话击溃。也奇怪，她只是在陈述一个彼此都清楚的事实，固然，意思是再清楚也没有了。她冷冷看着他。目光能置人于死地，毫无疑问，在此之际，她就是美杜莎的化身，足以使接触她目光的人石化，而他也真的变成了石像。在那一刻，他们的少年时代同时结束了。原有的结构轰然倒塌。地轴忽然倾斜，让他站立不稳。他全身都不可控制地颤抖起来，此刻四肢十指、五脏六腑都在叛变，他强使自己平静下来，竭力镇压它们的联手哗变。

她在等他解释，但又不想听他解释。所有的解释在此时听起来，都会像是借口和遁词。他意识到了这一点，也确实无话可说，喉头滑动了一下，张口结舌，一阵突如其来的口干舌燥。多年后他才发现这是自己的一个特点：在骤然面临批评和打击时，他心里交织着羞愧、耻辱和委屈，但在震惊之下却会完全放弃自我申辩的机会，这使他看起来愈加显得罪有应得。

无论当时他曾想说什么，在这以后都永远无法表达了。由于那时没说出口，这在后来就变成了一个始终横亘在他们之间的障碍，并且在许多年时间里改变了他们相处的方式。这完美地符合"峰终定律"：虽然人有两个不同的自我平等地忍受着每时每刻的体验，但记忆的自我总是不由自主地把全部的判断权重放在两个时刻上——最糟糕的时刻和最后的时刻。对章承来说，这一雷雨中的记忆集两者于一身。那是房间的一头大象，虽然彼此都不去提它，但都知道它在那儿，而且没有办法将它驱逐出去。那一分钟里包含着一生，一个压缩在果核中的宇宙。

在此后的很长一个时期内，这演变成了一个不断自我质疑的哲学命题："我为什么没有出现在那天的葬礼上？"他至少试过一千次解释为什么会发生这样的事。这个命题没有可以讨论的对象。他只能在内心被迫承认自己是怯懦的人。这个问题的确有一个简单而可笑的答案：他不会骑自行车。葬礼在七八公里外万安镇旁的许家老宅，那儿远离公路，他也不认得路。他并不是不想去，但他父母觉得，那只是远房姑妈的葬礼，他们去就可以了，他这样的幼辈无须在场。问题在于，在这样的理由面前，他既不曾坚持，也没有另想办法。不得不承认，他内心深处其实惧怕看到极度悲伤的许燕如，尤其在众多亲友面前，他会不知道如何劝慰她；他一厢情愿而又自作聪明地认为，在下葬之后，自己再单独面对她，会更好，况且在效果上也是一样的。那在后来看，无疑是想当然的自欺欺人——由于长久地沉浸在自己的世界里，自欺欺人向来是他所擅长的技能，后来甚至到了堪称将之发展成为一门艺术的地步。不管怎样，在她最需要他的时候，他并未出现，这不能原谅。当意识到这一点时，他自己也无法原谅自己。

差不多有一千年过去了，他就那样脸色惨白地僵直在那里，像是一个不会游泳的人刚被打捞出水面，浑身是水，由于体表温度的下降而不自禁地有些颤抖。内脏的某个地方有一阵隐隐的钝痛周期性地发作起来。他感到她的声音好像要经过一段时间才能传输到他耳中，几乎能看到那些音节在空气中呈波纹状传播着，在夏日幽暗的室内闪动着奇怪的光泽。他并不是在听，而是在用体表感受声音细小的波浪。脚下的地球明显在吱吱嘎嘎地旋转，自己快要从这个巨大的球体表面掉落下去。所有的星云在相互远离，宇宙不断膨胀，他们之间相距十万光年。如果可能，那一瞬间他希望即刻遁入一个平行宇宙中躲藏起来——他旋即否定了这一点，即便他具有这样的超能力，那也是一种更加怯懦的逃避做法。

他就像个无处忏悔的罪人一样惶惶然在那里，全身像自由落体般地不断下坠。照如过来笑着拍了下他肩膀："章承这是怎么了？"他晃了一下，连这一下轻拍也无力承受。骤然间，一道闪电直插大地，门外恰到好处的一声惊雷响起，及时召唤来一场暴雨。这样如交响乐一般气势磅礴的一幕，竟然仅仅是为了烘托一两个少年人微不足道的情绪波动，不能不说天地对他们是极其慷慨仁慈的。密集的雨珠洒在院子里的沙泥上，吹来一阵土腥气。乌云之下，屋里更暗了，他周身所有的光亮都被一只无形的手掐灭了，脸上灰败下来。他站在许燕如对面，彼此就像是在齐脖深的沼泽中对峙的两个绝望的人，那三尺的距离已成为不可抵达的深渊。不能再待了，得走了。他仓皇辞别，仿佛一个宫墙大门已被叛军攻破的国王。照如看了一眼妹妹，说："这么大的雨，燕子你让章承多坐会儿再走吧。"她一言不发，拒绝降下搭救的绳梯。

雨丝纷乱，水汽淋漓，有无数微粒在空气中弥散开来。他曾经想过，能够从某个角度看出雨点落下蕴含着某种秩序，但此刻感到完全是随机落下的一片混沌——那部分原因是因为那天的雨把他里里外外都打湿，他已看不清楚雨点的轨迹。他带了伞，但没打开，那不完全是失魂落魄，还在于这场雨正好符合那个年龄的少年在此刻所追求的戏剧效果：这从天而降的暴雨，成了一个自我惩罚和自我净化的机会。在后来的构想中，他进一步夸大了这场不期而至的雷雨的威力，仿佛它是带走一切的一场飓风，甚至带走了所有有可能干扰他在这片废墟上凭吊的居民。

看着章承的背影在雨中消失，许燕如多日来在人前一直绷着的泪水，此时终于涌出。在看到章承眼里的火苗熄灭下去时，她感到了一阵复仇的快感，要给他致命一击，这是她想要的效果。她记得他那时的眼睛，像两口黑洞洞的深井，带着十五岁的少年所具备的那种难以形容的绝望。**我们要走了，不回来了。**

多年之后她才意识到，不止她在离开他，他也在离开她，在宇宙膨胀之下，两个星体都在彼此远离。章承走出门时的那一幕，就像是他正在离开自己的世界。他们都明确意识到那是一次终结，但并不知道那也是一次开始——开始的已经是完全不同的故事，甚至他们自己，彼此也已经是不同的人，只是那时他们自己尚不自知。

1.5

是个梦。仿佛是从一片深水中拖着自己上岸，睁开眼发现四周一片黑暗。坐起身来摸着额头定了一会儿神，才确信自己不是在梦中。看了下枕边的手机，睡眼惺忪中发现屏幕上的新提示，是周岚刚发过来的一条微信："写得不错。请继续。"我长吐了口气，回她："谢谢。不过小姐，这里已经是半夜了。"叮咚一声，她回过来："对不起，我在伦敦，我知道有时差，但忘了你一贯早睡早起，有着老人般的作息。我回你邮件了，你明早再看吧。"

的确并没有足够的好奇心催迫我此刻就点看她的回信，何况，可以料想，看完就很难再入睡了。

她把第一章做了细致的修改，从字词到句子。比如在开头加上一句"很多人年轻时都犯过错，有些错误可以随着时间的流逝而消散，有些则会产生永不磨灭的影响"；在"他进门时也注意到她神情冰冷"下面，她补上了"以及刻意的疏离"；"她一言不发"则改成"她在旁恍若未闻地一言不发，连头也没有抬"。甚至连许照如的话她也细细改成"不好意思，家里很乱，这房子得还掉，我们后天走，妹妹得在外婆家住一段时间，等我们在黎城整顿后就来接她"。

她把"上海"更换成了"黎城"，甚至那个现实中的"崇明岛"也变成了"乌敏岛"——虽然对她来说，那是历史，但考虑到小说或许真会发表，她觉得虚构比写实更让现在的自己舒服一点。那是一片充满泡沫的海洋，泡影往往看起来比海水更吸引人，甚至更真实。尽管由于很多事我已记不清，而当记不清时我乐于虚构，不仅因为我不是历史学家，也因为虚构比竭力回想已经难以回想的细节要更容易，但本质上说，对我而言这两者的区分是困难和不必要的。何况，虚构时总归能记述得更流畅一些。

改得最多的是关于许燕如的一段描写："看着章承的背影在雨中消失，许燕如用力地撕扯衣服努力地控制自己，她是那么不想他走，她好希望他能留在她身边，任她如何驱赶都不离开，天知道她已经耗尽了所有气力，她依然支撑不住了，她是那么需要他，需要他的肩膀依靠，需要他的怀抱取暖，可是她的自尊告诉她不可以求他，不知道她花了多大力气才阻止自己开口留住他，多日来在人前一直绷着的泪水，此时终于忍不住涌出。从母亲过世到后来的葬礼，这段时间到处充斥着亲戚邻居们真心哭泣或者假假干号声，包括章承的父母，她听到他们的哭声和对她的劝慰话语，许燕如很平静，仿佛进入了自己的世界，她很少说话，没有号啕大哭或者低声抽泣，甚至连一滴眼泪都没有，这在当时情况下实属离经叛道，母亲过世女儿怎么可以这样无情，没有痛哭流涕来表达自己的悲痛之意？亲戚们从一开始的窃窃私语到后来毫不掩饰地大声议论，她似乎都没有听到，除了偶尔抬头用茫然的眼光扫过人群，更多的时间就是沉默，没有一滴眼泪。然而此时看着章承的身影越走越远，泪水毫无意识地涌出，许燕如默默用手背抹去，无奈越抹越多。"

她补充的这些，是多年来我第一次知道的细节，但这既没有让我感觉好受一点儿，也没有让我感觉更难受一点儿。如果我曾是那个少年章承，那么现在这仅仅是对一部小说的订正。何况我也不是那个少年。

"我想要你替我了这个心愿，也写出我所看到的世界。我知道，那和你看到的必然不同。"她在邮件里写，"谢谢你真的动笔写了，我很感激。不过我想可以从我的角度提出一些修改意见，供参考。我理解小说不可能也不必都是写实的，但有些地方太过真实（你为什么把我叫作'周岚'，在小说中却反倒使用我的本名？），而另一些地方我又觉得失实了——有些是你塞进我嘴里的话，甚至上次会面的场景你也重写了，我不抽烟。"

和以前一样，我们所记得的事件和细节总是不一样。有时我想，回顾往事时，最好除了写作者之外的人都保持沉默，否则记述总是不免陷入相互缠绕和纷争的态势之中，毫无办法。我也完全不想去探究那些"真相"——真相可能更让人痛苦，何况更有可能只是多一种说法。但她显然不是一个乐于保持沉默的读者，她的确是个特殊的读者，或许认为自己是这部小说唯一的读者；更麻烦的是，她并不是在干预作者，因为她觉得自己也是作者之一。或许对我们之间的状况更恰当的描述是：她把工具和自己的眼睛借给我，坠下长绳，把我放入过往那个幽暗的矿坑里，希望我能在黑暗中开采到那些年遗留下来的玩具。她是位不好对付的主顾，尤其当她认为我负有某个未兑现的诺言时尤其如此，因为利用我的负罪感一直是她最拿手的事。在这里，她觉得我是她的代笔者。这某种程度上有点像是争夺记忆，或仿佛我们的追忆还能拼接出一个完整的、单一的真相似的。不过问题在于，回忆真的是一件需要合作的事吗？

　　记忆，怎么说呢，就像一堆散乱不成形的果冻和沙子，如果你放进瓶子，那就是个瓶子的样子；如果放进方盒，那就是方盒的样子。有一段时间，我没日没夜地写着，虽然乐于采取任何顺手的办法，但有时也还是不免困惑于如何来处理现实与虚构。有很多事记得，但细节已经丧失了，写出来干巴巴，不得不填补东西进去。第二个障碍是，当时记的一些东西在不同的时间内发生，写下来，事件之间就有跳跃和空隙，像是拼凑在一起的，仿佛一根草绳串起来的马铃薯。

　　我知道《胡利娅姨妈和作家》引起的纷争：因为不同意巴尔加斯·略萨的描写，胡利娅姨妈转而写了一本《作家和胡利娅姨妈》。但那好歹是在写完之后，至少在写的时候不用担心自己笔下的人物会跑出来追打自己。我原本也是打算一次性写完了再给周岚看，不过禁不住她隔三岔五地来问"能不能把小说先发一段来看看""可以先预支一章了吗"。无疑，她乐于把这看作是专为她这唯一读者撰写的连载。那时我的日常生活太忙，在工作之余还要陪伴两个孩子夜读、洗澡，那时时会打断我重新深入采掘的连续性。结果便是某一天在受了催迫之后，我终于忍不住怒气冲冲地回她：

"显然，在哪里可以真实、哪里可以虚构这一点上，我们并不一致；但我们要清楚地意识到，这是一部小说，也就是说，那固然写的是你的经历，但这里的'许燕如'虽然和现实中的你使用同一个名字，却不是你，而是我的小说人物。没有小说人物能自己跑出来干预作者的写作。让我把话说明白：我不想自己的小说受到别人的修改。"

她受到了惊吓，几天后才回复："你真的变了。也是，你没有义务总是迁就我。只是这一次，听起来好像是我自愿成为你小说中一个任作者摆布的人物。好吧，就当我看看你到底看到和记住的和我的有多么不同吧。但我有一种感觉：你不仅在加固也在改变那个世界；而那里面的许燕如，并不是现实中的我。我说不清她是更好还是更糟了。不过，或许那才是你喜欢过的人。其实我要你写小说，也是因为我忽然想不起自己那时候的样子了，仿佛走在一条没有方向的夜路上，模模糊糊，影影绰绰，时有过往的幽灵出没。你有权将我的要求看作是对你的最后一次折磨。只不过，我一个人走在那条路上，想到你是唯一可能的同伴，或许还记得某些路标。"

(2.0) 引力

一

　　路标。不错，在人的一生中，有些事件和日子可以成为时间坐标点，在人们回顾自己走过的路途时充当着路标的作用，就像经历了一次难忘的旱灾之后的人们日后都还记得"在那年的旱灾时我在干什么"一样。所有其他的事件，都由于它们的存在，而被赋予了秩序感。对章承来说，这个日子是1991年3月24日。在那之前，他人生最初的十四年，回想起来只是模糊的、混沌的、无序的粒子，像包裹在一团无边的雾气里，偶尔露出某些隐约可见的礁石，而从这一天开始，那些片断才变得清晰、连贯和完整起来。从这一意义上说，那天许燕如的出现，就像是在他的生活中有个神说了一句"要有光"。而她也的确是神。

那个春日午后，他正在窗边看书，忽然感觉窗外有身影一晃，抬头一看，就看见她咬着一根甘蔗，倚门笑望着他。算不得是多么戏剧性的开端，甚至在试图反复回到这个时间原点时，连他自己也多少感到有几分平淡无奇。到那时为止，他们相识已三四年了，还同班过两年，但在那之前都算不得有多么知交。甚至许燕如，也只是因为那个星期天在外婆家里待得有些无聊了，才想起穿村过来找他聊聊。如果预料到后面所发生的那些事，他们或许都会设法避免开始；但由于它如此平淡无奇，就此而言它是不可避免的。

不知道为什么，这一天在他们的交往史上变成了一个分水岭时刻。他迟迟才意识到这一点。章承这个人的特点之一是：他说不清楚自己是怎么开始喜欢上对方的，类似的情节在他后来的人生中不止一次地发生。当然这或许也说不上有多特别，毕竟许多人都是在不知不觉之中陷落的，但他的问题在于，他在很长时间内惧怕承认这一点。直到很久之后，他都继续用亲戚关系来掩饰着这段感情，这倒不仅是因为他把对"早恋"的禁忌内化了，竭力说服（更确切地说是欺骗）自己那并不是早到的爱情，而只是"友谊"，也因为他内心有一层更深的隐隐恐惧。

那个午后暖洋洋的，到黄昏时分，斜照下西边河沿上的田地间仿佛升腾起一片干燥的光雾，空气中弥漫着花粉与泥土的气息，远远近近的田野里油菜花正欲盛开。三月的东风从海面上畅通无阻地吹过这片平原深处，万物生长，他们也像是两株植物，正从尚未足够成熟的内脏里长出鲜花和绒毛，在暖风中顺从地浮动。他带着她去找"蚕豆耳朵"——那是乡下孩子常玩的小游戏，蚕豆开花季节常有一些长成闭合喇叭状的小叶。她从未玩过，在叶片之间拨来拨去地看，总也找不到，那会他已经找到了五六个，她看到他掌心里一个个的小叶，惊喜不已，央求着："送我两个嘛！"他腼腆地摊开手："都给你吧。"在那以后的很长一段时间内，他再未能拒绝她的任何请求。虽然有时会矜持一下，实际上总是准备答应她的所有要求，而她也默契地深知这一点。

在送她回去的路上，他一边给她编了顶柳条冠，一边问起她怎么搬到外婆家来了，她拉长声调说："我已经住过来第十天了，看你也没找我玩，那就我来找你咯。"他涨红了脸，急忙声辩："我不是故意这样，我又不知道你搬过来住了。"她看着他认真的样子，扑哧笑出声来，就是因为他这样，她有时很难忍住想捉弄他一下的冲动，"好啦，只是因为妈妈又去上海看病了，爸爸和哥哥在上海工作的工作、读书的读书，就我一个人在老家，总有些不放心，才把我托付过来，因为除了外婆家，也没别处可去了。"

他看了看她。她在说这些的时候仿佛只是在陈述一件生活中的平常事件，具有一种与自己年龄不相称的沉静。多年后他才意识到，那一刻激起的感受是复杂而具有决定性的，混杂着尊重、敬佩、同情，以及他一生中第一次涌起的对一个异性的强烈保护欲——后来他也不是没想过，那或许是因为在那种温暖空气的催化之下，生物体第一次进入了多巴胺旺盛分泌的周期，只是他始终不清楚对她的感情算是这一过程的原因还是结果。

那时章承也只不过是个大一点的孩子，对女孩子的心思，仅有一点朦朦胧胧的远观；但也还不至于认为自己可以变身超级英雄——实际上，当许燕如每次和他说起自己冷暖自知的生活时，在他内心也会同时涌起一阵无力感。不用多想他就能明白：自己所能做的着实有限，虽然他恨不得立刻拥有某种超能力，只要手指一点，就能治好她妈妈的病。

河东村虽然距离县城不远，但在当时仍只是个平静的村庄，要尽力凝视才能注意到时间的流逝。在乡间，每天都好像有无限多余的时间。作为家里唯一的孩子，章承早已习惯了孤独感，他能长时间地看着河流、飞鸟、云、树，观察它们缓慢的变化。有一次他在院子里让许燕如跟他一起观看流云，夜里还可以看天上的星辰，尤其在盛夏的夜里，格外分明，躺在院子里的桌上看久了，就觉得整个穹隆都在旋转，继而产生一种错觉，似乎自己脚下的大地也以同样的节奏在移动。这使他相信地球确实在永不停息地做着自转与公转，虽然他惊讶地发现自己似乎是唯一一个能感觉到地球在转动的人。

在河岸边的这一小片水杉树林下，在这羽状浅绿色嫩叶和树脂沉沉气息的覆盖下，她就在自己身边闭着眼，他感受到她时断时续的呼吸，那是她最接近于一个婴儿的时刻。"我不记得曾感受到大地在旋转了，但我记得那时仰面躺着，好像我们都死去已久，奇怪的是那有一种令人愉快的平静，世上的一切都放下了。我那时觉得，死亡可能确实和睡着没多大区别。小孩子想到死，那是一件奇怪的事，但如果死去就是这样，那我当时感觉这样很好。"

有一个黄昏，她弄了一盆肥皂水，用芦秆吹，不知她有什么办法，能吹出很大的肥皂泡，在黄昏幽微的光芒中七彩斑斓，这些果冻般的气泡在柔软的晚风拂动下，以不可预期的轨迹，晃晃悠悠地挣扎着飞过篱笆墙、树桩和蓖麻，又逐一破灭。他张大嘴巴，看着这些不朽的奇迹表演，向她讨教，她很惊异："这也叫大？我两年多没吹过了，已经退步了。你竟没吹过？"她说，诀窍很简单：快蘸，慢吹。

那是在乡下为数不多的娱乐。对他们来说，如何打发一天中多余的时间，是每天需要面对的重大问题。由于屋子里暗，黄昏时分过去，有时便看到她在院子里，坐在小凳子上，低头伏在矮桌上做作业。也常常谈邮票，这是他们那时共有的兴趣之一，把自己新搜集到的邮票分她一枚，这是他那时试图让她高兴的办法之一。潜藏其中的冲动腐蚀了他们之间的交往，使他的行为不由自主带上了一种强烈的目的性：为了让她在不幸之外获得微不足道的补偿。那时他并未意识到这给自己背负上了一个无法摆脱的责任，而那未必是他总能做到的。不过，不自量力原本就是青春期的显著特征，在情感中尤其如此。

有一次他忍不住想问："你和我在一起开心吗？"但刚说了"我想问"三个字，又觉得这样似有点太过脱略形骸的轻浮，又生生把后半句吞了进去，但她已经听到了，愕然反问："你想问什么？"

"没什么。"

"说嘛说嘛，你不要话说半句。"她娇嗔着顿足。他最经不起她央求，迟疑了下还是说了。她抿嘴笑笑，侧头说："还可以。"

但她从来没有问过相反的问题。因为她从未担心过。

空气里已全是暖意。在回想时，他在这段时间安排了无穷的好天气，只差给蓝天也配上欢快的背景乐。那天要出门时正遇到许燕如过来找他，"你去哪里？"他笑着扬一扬手里的袋子，衣服的拉链坏了，正要去老街找人修一下。左右无事，她也和他去。老城中津桥那边，两侧的悬铃木已张开了黄绿色的叶片，东风吹拂。那确实是最适合留给未来回味的季节。

修完拉链，正要回去，章承远远地看到一个身影，转头低声提醒了下许燕如："喂，你看，你们班主任。""你想过去叫一声'钱老师好'吗？""你去吧。我倒是想起钱老师家里有副围棋，你不是说无聊吗，向她借来，我们可以学下棋。"

两人推了一番，谁也不肯上前。过了会儿，她下了决心："好，我去就我去。"她说着，眼里闪过一丝狡黠的神色。三五步抢上前去，她叫住了班主任："钱老师，章承听说你家里有副围棋，他想借又不好意思，只好我来帮他说了……"钱老师笑起来："章承怎么还不过来？思想斗争很激烈嘛。"其实他远远地也听见了，被这么一说，愈加尴尬。

在东城中学，他们那时因为是在隔壁班，因而除了班主任之外，所有任课老师几乎都一样，有时也一起上学。那时的教学楼刚落成几年，差不多是城郊最新式的建筑，粉刷的内壁、方正的钢窗，再加上石子镶嵌的外墙，这就是当时的人们所理解的现代风格。事后想来，这种样式的房子很容易随着时间的流逝而显露出过早衰败的迹象，因为它只有在新的时候才值得一看，而时间总是侵蚀而非增加它的魅力。

五月里的一天，语文课上，上到一半，语文老师提问："《多收了三五斗》的主人公是谁？"鸦雀无声。"知道吗？"她追问。每个人都低着头。一群哑巴。"懂吗？"还是不说话。她略等了会儿，"啪"的一声把语文书扣在讲桌上，走到门口，一声不吭。过了约十分钟，突然回身，转身出了教室。

这可炸开了锅，大家交头接耳。班长陆薇薇大急起来，找上几个班干部一起想办法，大家拿不定主意，到办公室找班主任唐老师。把经过一说，唐老师问："那你们知道答案吗？""知道。""为什么不说？""因为别人都不举手。"唐老师叹了口气："走吧，去跟赵老师赔礼道歉。"他们一起到语文办公室，刚进门，赵老师就已经知道来意，她还在赌气："我不去了。走到坟堆里也有小鬼叫两声呢，连点反应都没有。"道歉过了，好话说了一箩，还是没用。唐老师无奈回头对陆薇薇和章承他们说："你们先回去吧。"

放学时和许燕如一起走，章承说起今天的事。许燕如笑了笑："赵老师一向很有个性啊。上次我们班也遇到过，那天是谁说了什么，惹恼了赵老师，她一怒就不上了。"

"然后呢？"

"然后也没什么，我是语文课代表，那就我去劝咯：他现在也知道错了，大家也都埋怨他，您就再帮我们上一上吧。"

"那她就回来了？"

"是啊。"

"那我们怎么连唐老师出马都请不来呢？"

"哎呀，你真笨，正因为你们叫了唐老师一起，又这么一堆人——噢，一会儿不上，班主任来劝了就去，你说这面子还怎么搁？你们可真是一点儿都不懂女人的心思。"

他恍然大悟，看了看她。她昂起下巴："看什么？"

每次从四班门口经过，他都会装作若无其事的样子，有意无意地往里眺望，希望在那一个瞬间能捕捉到她的某个身影。因为碰巧都是学习委员，有时两个班一起的活动，她也会拉上他。然而他还是一厢情愿地以为他们之间那种隐秘的联系是无人得知的。

那天黄昏，在讨论班会事宜时，章承说起班会主持人推选的问题，他认真地做了一番建议，认为以后应该轮流主持，每次最好一男一女两人，事前要提交主题、节目的设想与组织规划。陆薇薇笑吟吟地听着，过了会儿点点头说："那下次就你吧。"他正有些发窘，陆薇薇高喊了一声："同意的请举手！"瞬间举起七八只手，反正只要这次没轮到自己，剩下的各位都乐得赞成。副班长陈铮笑着在旁撺掇："那主持人得一男一女，要不班长也上？"陆薇薇脸一红，笑着说："那当然得许燕如来才合适。"章承悻悻然强辩了一句："她要主持也是在四班，怎能到我们三班来？"陆薇薇掩口笑着说："只要你喜欢，我们把她借用一天好了。"

哄笑声中，章承霍地站起身来，脸涨得通红，背起书包就出门。陆薇薇也有些惶急起来，在背后喊了句："喂，只是开个玩笑嘛。"他头也不回地答："不好笑。"

他走在路上，兀自心神不宁。在他后来的人生中，很多次被人当面说他"开不起玩笑"，直到最后，他最终将这当作自己个性中的缺陷之后，才逐渐学会了对别人的玩笑淡然处之，他甚至学会了自嘲——自嘲无疑是一门需要学习的技能，对于他这样的人来说，差不多是成熟的标志之一。

走到梧桐树荫下，他平静下来想了想，忽然有几分懊恼没反唇相讥让陆薇薇和陈铮去主持。班上也半真半假地嘲谑他们是一对好久了。然而问题在于，为什么自己会这么生气？为什么？他好像容不得别人拿这来开玩笑。但还有一层隐秘的意味是：他一直自认这是纯洁的友谊，而抵触和抗拒那种认为这有何异样的念头；但在同学的笑声中，他分明意识到，别人其实并不这么看待。以为别人和自己一样认定这是纯洁的友谊，只是他的一种自欺，更确切地说，是他的恐惧。

那天黄昏去找许燕如时，他心情因而有几分低沉。走到院门口的树篱前时，许燕如的舅母远远地看到，笑问了一句："阿承，你好像有两天没来了？"他凛然一惊，停下来脚步凝视了她一眼，不确定她这句话是单纯的询问还是讽刺——她是觉得我来太多了吗？想到这里，他心里不免生出一丝寒意。他想起许燕如说过，舅母平常如何将她看作是寄人篱下的穷亲戚，一时对这个圆胖脸的女人涌起无穷的恶意。倒不是怕别人怎么笑话自己，他担心的是连累了燕子的清名。他甚至不惜自己就此离开一段时间以保卫这一点。不论这看起来多愚蠢，那是他自我牺牲的方式，因为在很长一段时间里，他总是倾向于将许燕如看作是一个需要特别保护的对象，即使她并不总需要这种保护。

幽暗的屋子里，许燕如正坐在灶口烧饭。他说，我帮你烧吧。坐在板凳上，他心不在焉地想起从化学课上学来的描述："火是物质燃烧过程中进行的强烈氧化反应，其能量以光和热的形式释放，其可见部分称作焰，可随着粒子的振动而有不同的形状……"通过强迫自己去关注其他事物，他感觉稍稍平静了一点。

看到他今天有点闷闷的，她略微有些奇怪，虽然他原也话不太多。稍稍坐了一会儿，他感觉内脏里翻滚得难受，用那种明天就要远走高飞似的决心简短地说："我得走了。"她在灶口的火光中抬起头来，低低地说："别走，再玩一会儿不可以吗？"听到这句话，他心里又一软，点了点头。

在幽蓝的南窗下，许燕如久未能眠。我后来觉得，自己可能也没什么特殊。十四五岁的时候，大概每个人都会以为人生很艰难，虽然事后的确如此。这个岛屿本已孤悬在宇宙边缘，岛上的乡村之夜，有时更寂静得让人觉得这里已被人世所遗忘。她对乡间生活并不熟悉，事实上，也并不感兴趣。毕竟从小是在城市长大，石河子再小，好歹也是十几万人的一方重镇。

关于石河子，那也只是一些模糊的印痕。小时候从乌鲁木齐到石河子，还要坐一天的汽车，醒来一看，夹在雪山和沙漠之间的这个城市，稀疏的树冠上顶着几朵白云，看上去更像是沙漠中的一个海市蜃楼。那也不能算是自己的故乡，"故乡"一词对她来说并无意义：父母是在石河子工作，但她从小却是在姑妈家长大的，和父母相聚，也不过是三四年的时间，之后回到父母的故乡崇明岛，但这又是一个陌生的地方。在她到那时为止的有限人生中，"家"一贯都不是一个稳定的所在。章承，和你不一样，实际上我是没有故乡的人，在这一点上，我们永远无法相互理解。

降临到这个人世，对她来说就像是一个偶然的命运。母亲在石河子待产时，单位的宣传干事过来做工作，要求打胎："能不生就别生了。"但父亲也有路子。他去找了自己早先的女友——在那时，他曾想过和她结婚，只是家里老母来电催促他回老家结婚，他起初不肯，催了几次，这个孝子终于还是回来了。勉为其难地见了自己未来的妻子，他的神情已足够说明一切，她也是有自尊心的人，无意勉强，于是打定主意和另一个追求自己的人结婚。但偏偏此时，他反倒爱上了她，两人终于还是结婚了。许燕如是他们的第二个孩子，那时计划生育已经有些紧，不得已只能把她放在上海姑妈家抚养，一直到六七岁才接回去。那时她满口的上海话，普通话自然不太会说，崇明话也一直说不好。

为了能让母亲得到更好的治疗，一家人不得不迁回老家来，各自生活。起初母亲带着她住在娘家，但嫁出去的女儿再回来，并不是那么容易的事。那时她也才十一二岁，早早便懂得了寄人篱下的滋味：舅母日常的排挤和羞辱，终于让母亲在大吵一架之后带她离开了，那次走得匆忙，没来得及收拾的一些首饰，最后竟然也落入舅母手中。

所有这些，她断断续续地也都和章承说过。她并不是要博得他的同情，也早看出来他不知如何劝慰，每次听到这些，对他而言仿佛都是一道摆在面前的难题；但除了他之外，她也并不愿意对谁说起这些。虽然因为比他大一个月而做他的"表姐"，但她内心也知道，自己对他的依赖多过他对自己的依赖。实际上，他纵容了自己对他的依赖。对她而言，他就像是一个行将溺死的人能抓住的最后一根浮木。正因为如此，他最后没能在母亲的葬礼上出现，就让她加倍地感到不能原谅。

到底是什么促使人们相互接近呢？这真是一个无法回答的问题。从他们之间在葬礼之后的那场暴雨中走向决裂时起，章承逐渐意识到一个问题：他们在少年时代的相互了解，很可能只是一种假象，虽然"了解"并不总是一段感情必备的基础，有时甚至反倒是瓦解了原有的基础。但这中间一个难以扭转的错位是：直到十多年后，许燕如一直认为自己了解章承。他们之间的一些误会，并不是因为彼此了解或彼此不了解，而是因为自以为了解自己和对方。

他们的秉性差异太明显，她那时还未意识到，她在很长一段时间内的隐秘愿望其实是：改变章承这个人。只是她从未言明，因为那时她自己也找不到合适的词来表达自己的感受。许多年后，当她有了孩子，看着他两三岁时笨拙地和小伙伴们交往，有时因为不知道如何运用自己的肌肉和控制细部动作而产生笨拙的冲动，才想起那时的自己，在运用工具和控制细微的情感来正确表达上，也尚未有足够的练习。

那是一个危险的年龄。随着身体的发育，他们都各自默默承受着恐惧，仿佛内部正有一个陌生的自己将要破壳而出，一头惊慌的小野兽在蠢蠢欲动。在洗澡时，章承渐渐察觉到自己的汗毛、胡须、阴毛甚至胸毛正在生长，那是从身体里长出来的植物，带有野蛮的气味；而许燕如，第一次裆内流血时母亲还在上海就医，她惊慌失措又无处可以询问，那时，她在恐惧中以为自己就要死了。困惑的事物太多，但大多却又只有问题而没有答案。

在那么年轻的时候，人们的感情激烈而极端，都是本着自己的直觉在行事。就像章承，他虽然后来知道了，但并未因此而改变自己，这是许燕如不能理解的固执。反过来，章承从未设想过要改变她，即便多年后他发现她身上有某些难以适应的地方，但他的基本态度仍是接受而非去改造它。只是在那时，他们都有一个致命的误会：他们以为彼此想的是一样的。那时他们也拒绝去考虑彼此之间的差异，因为任何这样的念头都是令人不快的。

放学后，他去找许燕如玩，带上自己的集邮册，也没什么话说，只是帮她解决了一道数学题。在她面前，或者说，正是因为在她面前，他的话很少。有一次她说起课上的事：物理老师说到"说话也要消耗力"，这时她抿嘴笑起来："我这才明白，原来你是为了不让力太多消耗。"他自然也听懂了她的揶揄，讪讪然跟着笑了笑。

他不知道说什么，他内心觉得很多事不需要通过语言来交流，这大概是年轻时最容易犯的错误之一，虽然语言的交流也会造成误会，但毕竟总是要少得多了。由于不擅长语言交流，他倾向于将它贬低为一种不够含蓄有意味的交流方式——远不如眼神交流，然而他也不敢那样看着许燕如。这些念头使他在对话中也充满了迂回、沉默、停顿、双关和隐喻，从而将谈话转变成一项愈加艰苦的任务，倒像是密码翻译工作。

天色已暗，外公外婆在田里育秧还未回来，她去煮饭，准备着今晚的菜。一盆韭菜炒蛋，一碟清炒莴笋，一碗菠菜汤。两人一起洗菜时，她笑着说起班上的同学，她说，孙正宇这人真怪，他每次说要找我换邮票，其实只是找个机会送给我罢了，总是说"你下次有了多余的再给我"，自己也不挑，而且有时我忘了，他也不问。

他在旁默默听了，微微一笑。他知道孙正宇。有两次遇到，他甚至能感受到，孙正宇在的时候气氛就会活跃起来，仿佛看到他来，许燕如也会松一口气。他记得孙正宇那次自嘲说，自己对世界有一种不同的看法，"因为我是色盲"——听到这句话，燕子笑了很久，比和他在一起时笑得多。他像是个大哥，这不仅是因为他比同学们都要大上两岁——因为曾经生病休学的缘故——也因为他对世事有着不同的理解。

在那以后，章承在回家的路上遇到过两次孙正宇，开始留心他说的话。他每天推着一辆破旧的自行车，骑起来叮当作响，离开很远之后都还能听得到，让人觉得下一秒它就可能散架成一堆零件。他还有个妹妹，"每天辅导她作业我也很头疼，不过她哪天去了外婆家住，没人和我抢食，我又觉得饭菜好像没滋味了"，他笑笑，等妹妹睡了，他还要去河浜里下竹笼，好捉些鱼虾和黄鳝补贴家用。四五年级时生病了两三年，家里欠了不少债不说，他说现在跟上学习的进度也有些吃力，说到这里，他笑说："章承，我真羡慕你，那些你肯定一学就会了。"

在听到别人这样的表扬时，章承通常都会极其不自在，然而他发现孙正宇的笑容有一种特殊的说服力，能让人相信他说这些都是完全真诚的。他在说到自家的情形时，既不消沉，也不抱怨，甚至有某种不甚在意的淡然。这其中包含着一种不同寻常的力量，在内心深处，他承认这是闪光的人，确实比自己强多了——在初中生的词典中，"闪光的人"是一个非常高级的褒奖词汇。那时候，他甚至对于曾把自己想象成是对她而言那么特殊的一个人而感到羞愧。

在那时候，每天清晨醒来，章承都会感到一种"这样的生活会永远继续下去"的幻觉。那从一种幻想变成一种信念，继而成为一种值得为之努力的目标，支撑着他去设想一个无穷无尽而又无忧无虑的未来。

他经常地设法去找许燕如，谈论今天学校里的事，以及家庭作业，随后便是闲聊。直到乡村的广播在暮色中开始，甚至繁星满天，那时他感觉自己看了几百万颗星星，仿佛在经过他注视之后，它们都已专属于他。他心想，自己假如能成为天体物理学家，将把这一段写入自传，以作为一个具有预见性意义的开端。

许燕如那时曾嘲笑过他，说他是自己周围唯一一个把"发现冥王星"当作 1930 年发生的重大历史事件的人。

在宽阔的庭院里，结实的地面在入夜后仍散发着日晒的余温，蟋蟀和绿色的纺织娘在尚未结下露水的草丛中低唱，这是穷人家的小夜曲。坐在低矮的竹椅上，她问：

"章承，你有没有想过离开这个世界，到另一个星球上去?"

奇怪的是，即便是在这样信口开河的时候，她也显得如此动人。大概在十四五岁时，人们总不免为这种没有答案的问题而困惑、而激动。那只是另一个地方，相信有某个彼岸。如果这个小岛是一个星球，那它没有彼岸将是令人不安的。他说，想过，每个天文爱好者应该都想过吧，或许可以通过虫洞，不过这很难，在我们有生之年恐怕都不大可能——实际上他内心真正想的是"绝无可能"。她微笑着看看他。对她而言，这是一个文学问题，但他把这当作了天文学问题。她喜欢看到他这样笨拙的样子，她需要的并不是他的答案本身。但对章承而言，也并不像她那样有着离弃当下生活的冲动。

不知是不是在同一天，她也说过："我觉得住在月亮上也不错。"

他长长吐了口气说："月亮上可是很荒凉的。你会像嫦娥一样。"

"我现在也是一个人。"她平静地述说这些的时候，看起来漫不经心，仿佛一个落难的外星公主，来到这个不属于自己的星球上。

在某些瞬间，人会有这样的错觉：现在自己所生活在其中的村镇，便是全部世界，虽然它在银河系的旋臂上，位于事实上的宇宙边缘。这个乏味的村镇仿佛有自己的星体，而外在于它的世界则远到感觉不到任何引力的牵动，以至于它们是否真的存在都无关紧要。他那时甚至想过，可以为这两个人的星球设计邮票，以作为他们存在的宣示。这是只有他们领会的独立。不过他始终没有把这个念头宣之于口。

他继续愚蠢地高谈着自己所知道的天体物理学知识，虽然他那点知识储备要不了一个小时就能耗竭。直到多年后他才意识到，自己也许潜意识里埋藏着那种"巴德尔－迈因霍夫现象"的念头：每当你了解到一个新知识，不久之后就有机会再次遇到它，就像听到一首动人的歌曲之后，第二天就发现另一个不相识的人正在哼唱。在某种程度上，他也期望着自己那个小小的内在世界能遇到共鸣。

她仍然笑吟吟地看着他。她对光是否会在质量巨大的星体前弯曲并不感兴趣；但他说点什么都行，他的话有几分镇静剂的作用，偶尔甚至还有少量致幻剂的功用，仿佛眼前真有那些星球在飞舞。而他，竭力想要装成一副能带来安全感的样子，虽然他越是想下去，就越是知道自己并不具备那样的能力——这是即便一个少年也能明白的事，尽管这样的早熟令人不快。不论如何，对许燕如而言，并不反感他那种硬要陪伴自己的坚决态度，仿佛担心自己空下来就会想到生活中其他那些痛苦的事，反正她也没有更要紧的事可言。

在篱笆墙外的阴影里，看到那个少年瘦削的身影，仿佛他是这个星球上最后的居民。他有某种腼腆的笑容，并不灿烂，但让人安心，似乎永远会在需要的时候出现。在很长时间里，她都试图重寻并停留在这个印象上，以至于为了磨灭它而耗尽了自己的体力和泪水。

在那些夜里，两个少年各自在窗下，他们耐心地等待着夜晚过去，等着它低回宛转，烟消云散。

下过雨后，天晴了。他带上纸和铁丝，去找许燕如，今天的实验项目是放风筝。两人七手八脚地搭好架子，再把纸糊上去，就照着邮票上那个燕子风筝的形状，只是搭完了才发现它也不是那么简单，并且不免有点丑。两人前仰后合地笑了一阵，好歹拿出去试放了下。

"你怎么想起来做风筝？"

"你不觉得很有趣吗？我看到书上说，美国航空博物馆里标明：风筝是人类最早的飞行器。"

她抿嘴笑笑，说："你不说的话，我差点以为这是你发明的。让我们女孩子崇拜你，这样可以使你更有成功感吧？"

他不知如何恰到好处地回应她这番不辨真假的调笑，只能以讪讪然的微笑掩饰过去。

在乡间高高低低的田埂路上，他一边迎风跑起来，一边调整着手里的线。但每一次过不多久都栽下来失败了；到第三次，线也断了。他满头大汗，神情沮丧。她宽慰说："没事啦，这就是玩嘛，又不是真的飞机试飞的实验。行了，我们回去吧，等会儿你妈又要找你了。"

那并不是多余的顾虑。随着他们往来频率的骤然提升，家长的目光也在发生变化；一如飞机在加速度的推动下接近音速时，就会遭遇阻力剧增的音障。在此之前的一天，他们约好了去钓鱼，同时测试一下章承新制作的一种浮标。两人在大桥底下阴凉的桥洞里度过了一个愉快的上午，以至于完全忘记了时间。那时他们都没有手表，只依靠肚子的饥饿感和空气中炊烟的气息来模糊地感知时间的分期。他出门时兴奋，甚至忘了和父母说下去哪里，以至于当他母亲发现这两个秘密结盟者时怒不可遏——在焦急如焚地找了一个多小时而四处都找不到他的过程中，她以为自己的独子已遭遇了什么不测，而他们在桥墩上的危险样子，乍看也俨然是要跳河殉情。

"不想死就快跟我回家！"她愤怒地说道。这句话语带双关，居然有某种急中生智的效果。

在那之后，他们降低了笑声，减弱了频率，仿佛战争期间的国家，自动调暗街道的灯光，停止敲钟，以免被头顶上盘旋的敌机发现而遭遇新一轮扫射。从这一点上来说，许燕如的提醒完全是出于善意，而且，也的确没有出乎她的意料。黄昏时，母亲来叫章承回家吃饭。"就知道你一定在这里，"她在土路上摸出口袋里的钥匙，淡淡地说，"你以后不必这么经常来。这不用我多叮嘱吧。"她没有多说话，但俨然是家中秩序堡垒的最后守夜人。

他跟在母亲的阴影里，感觉胸腔里剧烈跳动，好像他们在私订终身时刚好被抓个正着，那种羞耻感让他愤懑不平；他为此深深地怨恨母亲，把自己原先纯洁的感情污蔑为早恋。他认真地以为这是完全纯洁的——虽然事后看来无关紧要，但在当时，"纯洁"是一个值得认真对待的词语——主要原因之一是，他一直认为两人是表亲，因而这显然是不可能有结果的感情。在察觉自己内心不由自主的萌动时，他感到害怕又无人诉说。他后来还曾偷偷去翻查过，"三代以内血亲不得结婚"，否则将会产下弱智的后代。但法律的条文仅此而已，再无细节解释何谓"三代以内"，他的祖父和许燕如的外祖父是堂兄弟，也就是说，从同一个祖先算起，他俩正好是第五代，然而如果"三代以内"不计算共同的祖先和他们自己，那中间就是三代。直到四五年后，他在一个偶然的场合得知许燕如的外公章知嘉当年其实是章家所领养的孤儿，然而那时一切都已底定，只留给他一种荒诞的后知后觉感。

但在当时，这个难解的疑惑在他心底里一直埋着，也因此总在否认和压制自己对许燕如的感情，他不承认这是爱，是初恋，不仅因为老师家长们对早恋的禁忌，更因为他自己内心的恐惧感，仿佛那蕴藏着黑暗的乱伦冲动。在那些夜晚，这个无处诉说的少年做着愚蠢的挣扎，竭力劝说自己，他对许燕如完全只有纯洁的友谊可言。也是因为这样，当他察觉母亲也在提防他情窦初开时，才加倍觉得难以忍受。在生活的海洋中，那些暗礁终于露出了水面。就是在那时，他含着悲壮的心情，开始将撒谎作为生存技能，伟大的侦察与反侦察斗争开始了。

夜里他仔细回想了一下，发现这段时间以来断断续续发生的事已被自己当作仿佛发生了很多年的事，虽然它们分明像这个春天一样短暂而偶然。这是属于他自己的传奇。他从来也没有真正承认过,许燕如的出现为自己的幻梦提供了通往另一个世界的窗口。他不断地修正自己原先虚构的理念,以契合她的身体。仿佛两人此刻才发现共处在一条木船上,四周望去都是无边的、充满敌意也毫不退让的洪水。凭着一个少年的勇气,他才坚持了下来。他掐算了一下,在能实现独立之前,自己还要受制于父母八年两个月零六天。

"我要走了,搬到镇上去。"

她来辞行时,章承正端着饭碗,听到这句话,一口饭含在嘴里,愕然看着她。对视了一眼后,他默默地咽下了饭团,仿佛那是猝然降临的命运,其中还夹杂着砂石。

母亲笑着招呼:"小燕子,吃过了没?进来坐会儿呀。"她报以同样客套的笑容:"不了,舅妈,这三个多月麻烦章承了,总给你们添麻烦也不好。"他看了一眼这两个女人,站起身来说:"我送送你吧。"

在路口的苦楝树下,她走在前面,低声说:"你回去吃饭吧,不然你妈又该生气了,你不做乖儿子了吗?"他苦笑了下,并不争辩。她回过头来,看着他,目光灼人,她说:"回去吧,我不想你因为我而为难。"他还是不动。

她从包里抽出一本集邮册,说:"你有心的话,帮我卖了吧,我爸说,以后不要再把钱和精力浪费在邮票上了。"他心里一酸,知道她很喜欢那套《杜鹃花》,虽然他有时觉得女孩子在集邮时总是喜欢花纸头，还爱特意叮嘱说"要买好看一点的哦"。她翻来一页，想把重复的邮票撕开给他，他嗫嚅着阻止她："你还是留着，四方联的比单枚的价值上差好多。"

他把手从背后抽出来，拿出两本书给她："你得空时看看吧。"她迟疑了下，接了过去，但不忘甩下一句："以后要书来我家，我可不来这里还书。"

等到她的背影远去，章承回过头看，看到母亲端着饭碗，正在门口面无表情地看着他。

二

"我记不清这是我第几个家了。不过至少在以后一段时间，这里会是我的家。"

她指给章承看，那是院子深处一个黝黑的门户，推开来往里看了眼，是那种老式的房屋，门上还有在新房上早已看不到的扣环，由于屋里没有自来水，在门口侧旁放着一个大水缸，用以存储和沉淀一些必要的生活用水。粉壁中间露出刷过桐油的粗大木柱，木柱上的钉子上挂着厚厚一叠日历，但已经好几天没撕。房间高大而幽暗，只是屋顶的天窗射落初夏明亮的阳光，稍稍驱散一点屋内昏暗的气息。从高高的门槛踏进屋去看，里面杂乱无章，坐的地方只有一把钢折椅，一张竹榻，旁边的藤椅和床上则堆满了杂物。一台黑白电视机，拉着室内天线，有时在这个位置，有时在那个位置，就像一个放错了地方的不必要的大玩具。

她朝他瞥了一眼，补充了句："虽然不能算是个家。"

她带着一种"我独处的需求终于得到满足"的神情，而他心领神会地立刻觉察到那不是真的。在这堆杂物中间，她看起来就像是一个茅屋里的公主，准备平静地接受自己的命运，且没有一个武士守卫。他默默走到后窗口，拉开帘子朝外看看。后院外除了一棵高大的乌桕，再没有一棵树。墙角是丛生的蕨类植物和一段烧焦的毛竹。他暗自想了下，她在这里的日夜，就将与所有这些无生命物体为伴，而甚至是这些家具，都仿佛带着一种不合作的神情，随时准备反抗主人。仅有的活物是蚂蚁、蟋蟀、蜘蛛和蜗牛，以及墙上偶尔出现的半透明的壁虎——她这两天来已经习惯了和它的相处而忍住没有尖叫起来。

在那个无所事事的暑假，章承每天克制着去见许燕如的冲动，尽管他常常成功，但并未能把注意力转移到其他事务上，这又使他加倍感到无所事事。

七月里，庭院内外高树上的蝉声已漫过墙壁无孔不入。他在午饭后难以入睡，决定去见她。汗津津地走进小巷时，他已想好了来找她的理由，直到见到她，他才意识到那根本是不需要的。

一进那个小院就看到她蹲在地上的背影，在向煤球炉里加完煤饼后，又专心地把木屑吹进去引火。踌躇了一下后，章承上前"喂"了一声，然而她并不回头，仍在专心引火。他更不好意思，终于直呼其名："许燕如！"她回过头来，笑着拍拍胸口，好像受惊了似的说："我刚才还以为是我哥呢！"

"怎么你午饭还没吃吗？"

"一早上各种家务，忙忘了。"

她一个人在家做饭，父亲要在上海挣钱养家，母亲在那儿看病，总算哥哥暑假从上海的中学里回来，不然一家四口平日分作四处；然而哥哥回来，固然多些热闹，却也多张嘴巴吃饭。

"那都你来做饭？"

"要不然还能有田螺姑娘？"

他看看她，有几分心酸，然而那其中又隐含着某种敬佩甚至自惭形秽，虽然在农村长大，但他的生活自理能力仅限于自己穿衣系鞋带。这在很长一段时间里决定了他们两人的心理位置，使他总觉得她是个比自己更成熟的、早当家的孩子，然而他并未察觉这和他试图将她置于保护地位的冲动相矛盾。对他而言，她像是一个具有双重气质的精灵：既有比同龄人远为成熟的一面，有时又完全像个孩子——虽然她事实上也确实还是孩子。他隐隐约约地感到，这种矛盾性使她更为动人，然而他并未意识到，这也阻碍了他去察觉到许燕如在内心深处承认他比自己更成熟。

他这样想着，许燕如瞪了他一眼，微嗔着说："喂，别愣着，帮我打下手吧——淘米、洗菜也好。"

两个人这样并排在灶台边做家务时，他开始有一种想要笑出声来的荒诞感，因为那一瞬间他联想到了童年时的过家家游戏——然而此刻却是真实的"过家家"。这个感觉一闪而过，迅速让位于另一个幻想：仿佛这是未来家庭生活的一次小型预演。他偷偷瞥了一眼，她若无其事，正卷起袖子准备淘米，看起来并未察觉他的什么邪恶念头；他垂下眼帘，目光落在少女鲜藕一样的手臂上。

饭快煮熟的时候，两人有一搭没一搭地聊着，章承左肩被人用书拍了一下，回头一看，许照如笑着说："章承什么时候来的？"他还没回答，许燕如不客气地抢白说："他知道我家里多了个懒汉，赶在煮饭前来帮忙了。"章承在旁笑了笑，这是他面对别人开玩笑而又不知如何应对时的标准反应。

饭后兄妹俩在竹榻上下围棋。章承并不大懂，但一局棋下得如此漫长，以至于即便对他来说，一直保持沉默也很尴尬。他脑中罗列了几个问题，终于从中挑选出一个他觉得不至于让人为难的来问："你们谁赢得多？"许燕如笑着指指自己："当然是我喽。"她抿着嘴，终于忍不住笑起来。哥哥看着棋盘，鼻子里哼了一声。"你哼什么？难道不是吗？你还不服气？！"她叉着腰一连声质问，嘴角仍是带笑。"好好好，是是是。""本来就是嘛。"她得意地笑，"他呀，十次有九次都败在我手下。""你得意什么，你这一块黑棋都快死了！"许照如拍手笑起来，"刚才还说我十次有九次败，这次是谁？"他笑得打滚。"起来起来，"她爬到竹榻上，扯他耳朵，"你说说，到底是谁赢得多？""行了，你的多，你的多。"

她搭在哥哥肩膀上，一边看，一边指指画画，哥哥厌烦了，"一边躺着去。""看会儿嘛。"她摇着哥哥的肩膀，嘟着嘴说。"好好，那你老实点。"哥哥说，"老是这样无赖，我还是和章承聊吧。"她昂起头，一甩手："哼，你们就爱聊什么UFO、宇宙膨胀、黑洞，我才不要听。""你听得懂吗？"

许照如钟爱与外太空、外星人有关的一切问题，如果这些是高考科目，他大概可以毫不费力地得个高分。那天谈到光速旅行的问题，他不由赞叹："那是多么富有诗意啊——'光在巨大的质量面前弯曲'。"章承笑笑，他不知道那种摆脱引力的旅行是一种什么感觉，彻底的自由还是完全的孤独？他发现，那即便能实现，自己也并不喜欢，在停滞的时间里，却意识到自己所爱的其他人都在另一个时空里缓慢变老，那太悲伤了。

两个业余天体物理学家不着边际地聊了半天，许照如起身去镇上图书馆了，剩下两人。空气中的引力与磁场仿佛一下子起了变化，她又变回了温柔安静。那时他以为是她的引力场造成的，要在多年以后他才意识到，那原因其实出在自己身上。

那天离开时，她拿出几本教辅书来："你能帮我把这些书还给钱老师吗？"他点了点头。然而跑了几趟，每次只看到钱老师家阳台上晒得发蔫的天竺葵，透过满是尘灰的绿纱窗也看不清里面什么。几天后又去看她，章承无奈地承认："好像钱老师总不在家。"那时人们连固定电话也没有，偶然性以及伴随而来的运气，比后来更多地主宰着人们的生活。

他问："你应该更了解她的行踪吧？"

她狡黠地一笑："我也不知道。她就是有些时候在，有时又不在；上次我借了一本书，还了好几个月呢。"她抿嘴看了看他，心中压抑着捉弄他的冲动。

两人在院子里说着时，里屋传出声音："是章承吗？进来坐吧。"她吐了下舌头:"我妈发话了。"

踏进里屋时,章承总算努力克制住自己,以免流露出惊骇无礼的表情。他看到表姑妈在长久的病榻休养归来后,胖得惊人,仿佛一尾搁浅的鲸鱼;由于化疗,她的头发也只剩下稀疏的几绺。如果是在街上看到,他甚至很有可能认不出来。那一瞬间,他想到许燕如衰老时的模样。

在房间里熬药的药罐气味中,她坐在缝纫机旁,正在做一条新的围裙。她抬起头来,微笑着招呼:"坐吧。小燕子顽皮,不大懂事,你多帮她。"他急忙说:"没,我没做什么。"他仔细想了下,真没觉得自己做了什么。许燕如在旁努努嘴:"剥毛豆,剥毛豆。"

午后蝉声中,一阵微雨,庭院里的地面只是湿润了下,时阴时晴。

章承把门板卸下来,在门口午睡,门板还有桐油的味道。没有料到,陆薇薇来了。

她穿着一件荷叶边的连衣裙,站在路口的楝树下,巨大的树冠里滴着雨,但又漏下几道阳光,她左手打伞,右手捧着一叠文稿纸塞给章承。"拿着。"她转头就说,"我走了。"

他几乎还未从听到女生叫自己名字而误以为此人是许燕如的第一反应中缓过神来,以至于忘了说谢谢。这也是当时的异性交往方式:双方都尽量以最冷淡的方式公事公办。他低头抱着文稿纸回屋,数了数,足足二十页。他从未想过她会自己送过来。他只是在两三天前返校时和人说起物理老师要他誊清自己的小论文，拿去投稿；也许又在无意中赞了一句陆薇薇用过的某种文稿纸好看？

尽管是前后桌，但到此时为止，他和陆薇薇说过的话屈指可数。在他们班上笼罩着一种禁欲主义的气氛，这与隔壁许燕如班上的那种异性同学之间的无拘无束大为不同。除了章承本人的个性使然之外，这也和班主任所施加的无边法力不无关系：隔壁的班主任钱老师开明通达，在课堂上便公然说"到了十四五岁的年纪，如果对异性没有一点点憧憬和想象，那是不正常的"，以至于引起一阵如释重负的哄堂大笑；而在他们班上，班主任唐老师显然认为这一时期（也许直到五十五岁）的男女都是不稳定的元素，分开时尚属无害，混合在一起就会产生危险而不可控的化学反应，甚至爆炸，说不定就会突然把房顶炸飞。

尽管如此，那时还是有男生会递小纸条给陆薇薇，那是在手机短信和微信尚未发明的技术原始时代（真是可怜），人们用以隐晦（但其实已经相当大胆）表达感情的方式。虽然不愿意当这样的邮差兼同谋，但作为一贯的中立者，章承有时也禁不住会帮着后排的男生递小纸条给陆薇薇。直到有一天终于惹怒了她。

"别给我。"她皱眉低声说，听起来包含着"怎么你也这样的"的厌烦。

"不是我的。"他因此申辩。

"不是你的所以才别给我。"她说。随后发觉这句话里有什么奇怪的东西混进去了，而他也呆了一下，怀疑从逻辑上说，正确的表述是否应该是"不是你的给我干吗",但她应该不会有这样的误会,因为她本应知道那不可能是他的。

他惶惑地接了这沓文稿纸回到南窗下的书桌旁,一时感动泛滥,一霎时甚至原谅了陆薇薇之前开过的玩笑。卷起来再松手,稿纸在迅速反弹中形成一阵扑鼻的微风。当然,里面每一页都是空白的,没有夹着任何小纸条。他从没用过这么好的纸张,上面甚至有一种幽幽的清香,虽然多年后他熟悉了女孩子信笺上的这种气息,但在后来的印记中,他怀疑自己曾不由自主地联想到少女的体香。

为了能和许燕如见面多待一会儿,然而又不至于在她家吃饭,他掐算好了十二点半过去。进门时他客套了一句:"吃过了吗?"许燕如正在裁剪布料,这才突然起身,惊叫:"哎呀,饭还没吃呢!"随即从碗柜中端出一碗清炒豇豆,盛好饭放到哥哥面前,然后自己拿过砧板切酱瓜,又拿了两个鸡蛋,到外面的厨房去了。过了许久,仍不见她进来吃,章承不觉微感诧异,问她哥哥:"她怎么不进来吃?算自个儿吃过了?"许照如头也不抬,仍目不转睛看着手里的科幻杂志《飞碟探索》,边看边吃:"她呀,不爱吃我烧的菜。"过了会儿,她端了一小碗新烧好的蛋炒酱瓜进来,一个人吃,却一筷也没碰那碗豇豆。

许照如在旁吃完,斜躺在竹榻上,叹:"这么小年纪,就要和我分灶而食,长大了……唉!"她闻言眼睛一瞪,把碗里最后几粒饭一口气吃完,爬到榻上,质问:"长大了便怎样?"哥哥苦了脸:"行了行了,长大了……就嫁人呗。"她一脸气鼓鼓的样子："快去洗碗，都吃现成饭了还敢说。"哥哥打了个哈欠："这个，女孩子家多学点，以后到婆家，有好处。""不洗!""你是妹妹，帮哥哥多做一点是应该的。""你是哥哥，才应该给妹妹多做一点。"她坐起身，拉长声调，"我——说——不——洗……"章承在旁边看着，如果不是因为感觉自己是外人，他几乎就忍不住想要帮她去洗碗了，听到这里终于扑哧笑了。她脸上微微一红，咬着嘴唇，一声不响下了竹榻。走到竹榻边，还没忘记刮了哥哥三下鼻子。

洗好碗回来，她拿出围棋来示意章承："陪我下一盘?"他有些窘："我不会。""那么下五子棋好了。"

她下得很快，一局下来，她赢了。她注视着棋盘看了三秒钟，指着一处活三的位置问："你为什么刚才不在这里下?"他一时愕然，似乎刚刚注意到自己遗漏的获胜良机。她看了看他，笑笑说："你如果要让我高兴，就该装得更像一点。"

临走前，章承去许照如的书架上找了《熵：一种新的世界观》和《自私的基因》。他心里想，足够自己至少看一周了。

出门时，许燕如手扶在门框上，含笑看着他。

"明天再来，好吗?"

"为什么?"

"玩呗，有什么为什么的。"

"那，好吧。我走了。"

已经逝去了的真正时间的数值是已被耗尽了的能量的直接反映。随着宇宙中可用能量的消耗，发生的事件日益减少，这就意味着剩下的"真正"时间越来越少了。最后宇宙达到了热寂平衡状态，任何事情也不再发生了。既然没有任何变化可以发生，那么我们所体验的时间也就不复存在。[1]

章承读到这里时，听到门外脚步声响。由于正沉浸在宇宙的幻想中，他那一瞬间就感觉自己像是"地球上最后一人，忽然听到响起敲门声"。

他正想着是谁，来人已踏步进来。是许家兄妹。

许燕如换了一身粉红色的连衣裙，看上去光彩照人。许照如也换了一身新装，他开门见山地说："我们是来辞行的。""辞行？去哪里？"章承脸色都变了。"到上海。"旁边的许燕如接过话头。章承有不祥的预感："这么突然，发生了什么事吗？"兄妹俩迟疑了下，许照如说："没什么，只是我快要开学了。而且燕子也要去上海探望下我妈，我妈要一个月后才回岛，家里就燕子一人也冷清。"

上海，那时对章承来说，就像是从宇宙边缘到宇宙中心的距离。

他一下子觉得天地间只剩下那些星体、宇宙粒子和不明飞行物在陪伴着他了。

闷热的一天，章承午睡醒来，母亲说，你有同学在这等了你大半小时了，我都过意不去，他一定要我别推醒你。

---

1. 引自杰里米·里夫金、特德·霍华德《熵：一种新的世界观》。

起身来到外屋一看，原来竟是孙正宇，他脱口而出："咦，你怎么来了？"母亲在旁赔笑："这位同学别见怪，他就这样不会说话。"孙正宇笑着摇手："不会不会，章承一贯真诚，是我来得冒昧。"他转向章承，"我是想问问你，许燕如去哪儿了？""她去上海了，你找她是？""这……"孙正宇刚想挠头又把手放下，"学校里组织学生干部学习……哎呀，叫什么来着……"

章承解释了下，这段时间要是她独住也冷清，"一个人住镇上的老房子里，也不知会不会怕夜。"孙正宇面露困惑："那她为什么不住外婆家了呢？"

章承想了下，说："那毕竟不是自己家吧。"

他知道她并不会去太久，毕竟这边也快要开学了。

"这次去上海，可比上几次苦多了，汽车坐得晕头转向，一坐就是两三个小时，有时还坐错了，幸好没晕车。"爸妈的意思是让她到外婆家去住一阵，"但我不肯，他们也没办法。"相视一笑。她说，"可一个人在家也真害怕，昨天我模模糊糊睡着了，灯却没关，凌晨四点醒来才关上。"

妈妈的病，医生说很有可能治不了，即使好了，也会复发。因为癌细胞不可能完全杀死，即使被控制住，在特定的条件下可能又会被激发出来。她幽幽地叹："娘死了，爹会不会再娶呢？"

他看着她紧锁的眉头，不知该如何劝慰，只能无力地轻轻说了句："别胡思乱想了。"他有点想握住她的手或拍拍肩膀安慰一下，那是男生之间有时对情谊的无声表示，然而在此刻他在说了那一句之外不敢有什么行动，看起来就像他一贯的那样无动于衷。

她迅速地转移了话题，莞尔一笑："你呢，在宇宙中神游得怎么样了？讲讲你的星际旅行好了。"他于是试着讲了几个揣想她或许会感兴趣的话题，她则照例以那种因为外行而特别旺盛的好奇心问了许多问题，然而那却是他答不出的，便只能含糊地说："好了好了，你先听下去再说。"她后来也不问了，含笑不语，任他说下去。

他走了。夜色从地面蒸腾而起，街道外大椿树上的麻雀越聚越多，叽叽喳喳。道旁树影摇曳，在路灯下沙沙作响，圆锥形的光束从路灯的顶部投射而下。萤火虫带着提灯飞舞，呈现出不规则的飞行轨迹。他站在那儿看了很久，试图把这个平淡无奇的镇子上唯一的景色中的每个细节都刻画下来，以便有朝一日在脑海里重建它。也只有在此时，它的平庸才能得到原谅和救赎。而那个少年，感到自己就像是一个从未来刚刚抵达此处的时间旅行者，陷在这个时空中无法离开。

三

中午回家时，章承发现自家的庭院已变成了工地。几棵高大的树木都已被锯断，横倒在院子里。一辆平板车停在路边，等着人们把枝丫锯掉后拉走木材。他站在那里，一动不动。他并非不知道家里九月要原地翻建楼房，甚至还听父母商量起砍掉泡桐、杨树、苦楝和榆树来，说着它们可以支撑梁柱和做板凳，然而目睹这一刻，还是让他感到一阵莫名的伤心。

等他缓过神来，发现院子角落里还堆着新运来的一些砂石和红砖，有些甚至便压在他的美人蕉、菊花上，石榴倒是没被压到，但也被折断了一些枝条——那是去年才扦插成活的两株，他那时每天都看着它们一个芽儿一个芽儿地长大的。这使他不可遏止地愤怒起来，终于跑去找父亲，由于难以自制的情绪，他甚至感到自己的声音都有点颤抖了："为什么把那些花糟蹋了？你要道歉！"

父亲正忙着装卸那些木料和砖瓦，不耐烦地回答："你懂什么？这花能值什么钱？"

那一瞬间，他感觉胃里不停地在翻腾，脑子里轰轰隆隆响个不停；这件事使他又一次被提醒：自己仍是个不受成人尊重的孩子。那个年纪之所以最容易叛逆，大概就是因为他们自认为已是成人，但却惊讶地发现自己仍被当作孩子看待。母亲过来劝："傻孩子，别管家里的事了，现在我们人都管不过来，哪还能管这些花呢；你以后也不用到工地来，只管去爸爸厂里宿舍吃睡就是了，自己归自己读书。"那时候，他甚至对这种成年人对待孩子的亲热劲儿也受不了。

他攥着拳头杵在那里，猛然反身跑开了。但过了会儿又拿着铲刀回来，把菊花和石榴挖出来，移栽到花盆里去。虽然这并不是一个移栽的恰当季节，但他内心有一股不可抑制的冲动，推动着他这样做。

许燕如看到章承捧着两盆花进来时，也愣了一下："怎么想起送花给我?"他神情郁郁地简短说了一下经过,"你帮我养着好吗?"

她看了他一眼,努了下嘴说:"那你放屋外的水池边吧。"

他清除开几块碎瓦,躲在下面的蚯蚓和小蜥蜴立刻躲避开。打搅了它们的隐秘生活,他感到一阵歉疚。

秋天也并不安稳。

班主任唐老师宣布调走十位同学去慢班。他们是被放弃的第一批人。章承看到被点到名的人一个个站起来,有些人脸上故意露出满不在乎的表情。他又看了一眼班主任,他面无表情,仿佛在宣读一份早已知道结果的判决书。

现在,空气中每天弥漫着备战的气息,然而他却感到前所未有的迷茫。虽然县重点来选拔的老师和他交谈后说:"你这样的好苗子,不考高中、读大学,就太可惜了。"他在虚荣心得到满足的同时,却也不由自主地怀疑那只是招生的老师意欲吸引好生源的诡计而已。他隐约感觉到自己在乡村的平静生活即将结束,但不知道取而代之的将是什么。

每天回去时,看到自家的老宅渐次灰飞烟灭,他看到它被拆的一瞬间开始后悔没去借一台相机把它拍下来,之前他甚至没有这样的意识,而那也不过是一座平平无奇的老房子,只是对他而言才具有某种特殊的意义。由于是原地翻建,父母又要晚间在那里照看工地,以至于那四个多月的时间里,他们一直搭帐篷睡在那里;仿佛他们家是刚经历了一场摧毁性的地震之后被原地安置的灾民,要在这里重建家园。看到他们疲惫不堪的神色,他又为自己敌视他们的冲动而感到歉疚。

晚饭后，夜凉如水。母亲说，章承，你要专心读书，明年会决定你的前途；可不要觉得你是在为我们读书，那是为你自己。

他不知道说什么。抬头望望夜空，繁密的星星，仿佛在与大地一起旋转。"你一直看星星，看到了什么？难道你觉得能有一天发现某个星球，以你的名字命名？""那我更愿意用你的名字命名。"

在某种程度上，他现在体会到了许燕如的那种生活：现在他也失去了家。每天借住在父亲弹簧厂的宿舍里，端着饭盆去食堂吃碗面条。到夜里，三班倒的车间里冲床有节奏的机械声、机器的油味仍然不可遏止地渗透进来，连蚊帐和木器也都带有一种陈年隔夜的气味，废弃的庭院里则堆积着锈蚀的次品弹簧。这使他头一次意识到，自己其实是生活在一部巨大的机器里面。宿舍的灯光很幽暗，只有三十支光。为了不至于在灯下看坏眼睛，他空出大量的时间来玄想，而这里的夜晚也恰好平静如尘埃，在机器有节奏的咔嗒声中。

事后他才感到奇怪的一点是，他当时竟然并未想起把这些淤积的感受告诉许燕如，这或许是因为他习惯了对她报喜不报忧。

姑妈回来了。章承在院落里看到她坐在那里，默不作声地织毛衣，她戴了一顶新帽子，看上去有几分不协调，但从帽檐下还是能看出化疗后头发脱落的迹象。

在水池边淘米时，借着水声的遮掩，许燕如低声说："我妈现在不太愿意出门。"

在这紧绷的空气下，他舔了舔嘴唇，想说点什么，但旋即意识到，自己此时只是个"来找我女儿玩的小男孩"，说出什么老气横秋的安慰话，并不能起到自己所期望的作用。那最多只是让自己感到好受一些。

坐了一会儿，他礼貌地告辞了。她站起身来，送他一程。他刚想说不用，被她的眼神制止了，于是默默地一起走出去。

在路灯下，她说起那一年全家从石河子去天池玩，坐车到山下，下车后和妈妈拿了行李，走到半山腰，妈妈忽然支撑不住晕倒了，她急忙喊了爸爸和哥哥，送到医院。诊断的结果，没想到是白血病。为了治病，这些年来家里度日维艰，这次去上海看病，住院就得八千元，家里只有一千，只能靠父亲设法东凑西借。

她说到这些的时候，幽幽叹了口气。那是他第一次如此具体地知道关于她的这些事，心里涌起一阵复杂的感受，既有敬佩，又混杂着怜惜、同情，最后还夹带着那个年龄段的小男生刚刚形成的对女孩子的保护欲。的确，女性在柔弱的时候最强大，当她说起家里的困苦和自己生活的艰辛时，已在无意中启动了身边这个男生内心的一层机制，他内心重申了要尽自己所能来使她过得开心一点的决心。

那些天一直没有下雨。随着天色逐渐暗下来，星星在天幕上明亮起来，章承在桥上一动不动地看了很久，对他而言，那比世间的所有事物都更值得观察。

在老宅原地拆建之后，父母一直住在工地上的帆布帐篷里，看上去憔悴而高兴，他们不时抓住机会向他描绘着建造房屋的蓝图。"都是为了你。"但他觉得那不如说是为了他们自己，那是他们一定要完成的梦想。证据就是：假如他说不要建，他们一定会反驳说，这是你小孩子的看法。有时他甚至略感不快地想，虽然父母总说不要让这事影响了他读书，但他们这样反复强调本身就意味着他们知道这可能会影响他的学业，为什么他们还是选在初三这关键的时间点来建造？

按父亲的设想，在墙沟深挖之后，地基和地板的水泥得在二十四小时内一次性浇筑完成。工地上的卷扬机日夜轰鸣个不停，母亲和小工们用手推车使劲将一车车的黄沙、石子倒进去，再将混凝土喷灌到那个新家的角落。由于那个再三重复的律令（"你归你读书"），他被排斥在外，这既使他感到有几分不真实，仿佛那搭建起来的与自己无关，又有几分愧疚，因为自己是毫无疑义的受益者。

"爸妈现在顾不上你。你自己不要让我们担心，别觉得是在为我们读书。"

这样的话里带着某种"我们能为你做的都已经做了，而你也不小了"的语气，他咽下了那种不适感，回到了弹簧厂的那个昏暗的宿舍里，那里刚好小到他可以把控。

从后窗看出去，夜里一阵微风吹过，驯顺的稻浪起伏不定，久久难以平静。墙阴里有一只死麻雀，在那里闭着眼睛，看起来像刚刚睡着。他想起这种平凡的家禽是恐龙的后裔，不禁为它们感到有些难过。

58

在上学路上，章承沿着街边新铺好的方砖走，每次精确地计算着方格的距离，确保每次刚好跨过一格。在跨到某一格的时候，就会经过陆薇薇家的阳台。她家楼下是一个小卖部，陈列着为数不多的一些日杂用品和烟酒，经常有人在那里下象棋。一个修车铺的店主总是斜眼看着来往的客人，许久之后他才知道此人的确就是个斜眼。二楼的阳台上放着月季和石竹花，高处挂着吊兰，几枝芦秆上爬满了茑萝。在春日里，阳台上会落满悬铃木的飞絮。

不止一次，他看到她站在那儿梳头，有时她也看到了，更多的时候似乎若有所思。

他从未和她说过，觉得她那时梳头的样子很美。他不习惯当面称赞一个异性，尤其在那个年代，那会被视为一种轻薄可耻的行为，足以断送一些仅存的友谊；并且，他也一厢情愿地判定：她同样不会习惯接受一个异性的赞美。

黄昏时，陆薇薇来找大家商量，听说赵老师在骑车时摔倒，左手臂骨折，大家出出主意怎么去看望下她。陆薇薇要去宣布消息，平复班上的情绪；女生们拿着班费去买礼物，男生们作为随从负责提篮子；而陈铮则负责去打探赵老师是否在家。不过最后大家赶过去，还是吃了闭门羹。陆薇薇诧异地问陈铮："你不是说她在家吗？现在你说，她在哪儿？"陈铮嬉皮笑脸、指东道西地说了一阵，最后才承认自己并不知道赵老师是否在家。看到陆薇薇微嗔地看着陈铮的神情，章承忽然感到一凛，这让他想起许燕如看着自己时的眼神。

那天早晨到学校，章承惊讶地发现陆薇薇和几个同学站在教室门口，正在听训，她脸上露出悻然的表情。进教室后听到前后排的同学都在交头接耳，才知道是因为周末是班上一个活泼的女生李莉的生日，她和几个男女同学一起应邀去她家聚会，在班主任看来，这是早恋确定无疑的迹象，而早恋则是他一直以来试图防范的一件事。虽然这事主要责任并不在陆薇薇身上，但作为班长需要承受最多的炮火。

等陆薇薇落座，他身体前倾，低声说："你没做错。"她撇了下嘴，没说什么。

傍晚经过车棚，发现陆薇薇在旁边的水杉树下出神，他一愣，旋即看到陈铮推着自行车走过来，脸上带着他招牌式的笑容。

由于这个意外的插曲，第二天午后唐老师叫章承和许燕如到办公室时，章承几乎以为要轮到自己受训了。但唐老师似乎心情不错，和蔼地说："章承这次关于新万用尺设计的论文写得很不错，我们几位老师决定选送你这篇去参加市里的竞赛。不过这需要誊清十份样稿，许燕如你的字迹漂亮，帮着一起誊抄吧。"

要参赛还需要本人填写一些申请表。等老师离开后，两人在办公室里埋头写的时候，许燕如忍不住高声抱怨了一句："喂，章承，你没事把论文写那么好干吗？你看这又连累我。"他本也有些歉意，抬头凝神看了她一眼，想判断她是不是在开玩笑。她的眼神毫不退让："看我干吗？我说得不对吗？"他低下头，申辩了一下："但这又不是罚抄的功课。"她嘟囔了一声："那么你觉得是?"

写了一个小时,她不耐烦起来,咕哝着:"手都酸死了。我自己写论文都没这么卖力过呢。"他不吭声。她在办公室里踱了几步,到窗口去看放在那儿的多肉植物。坐下又写了一段,她好似忽然想起什么似的说:"差点忘了,我还得下楼找钱老师有点事。"

办公室里就此只剩下章承一个人,他也站起来,看着楼外一棵高大的朴树,树叶在风中沙沙地响。

几天后,他清早去看她。屋子里又只有她一个人,竹榻上有几分凌乱,她才刚起身。"昨晚很早就睡了,眷抄你那篇文章也只是一会儿。只是吃饭烧炉子花了一个多小时,还要烧菜,唉,到九点多才吃上饭。"

他踌躇了半天,只讷讷吐出一句:"你也注意休息。"她背对着他,弯下腰洗脸:"我也没法子呀,烧饭烧菜就忙得很了。我得关心自己的一日三餐,"她回头笑了笑,似乎带着几分揶揄的表情,补充了一句,"和你不一样。"

她期末考试考砸了。这应该是确定无疑的,因为她不肯告诉他成绩,被他催问了几次,她皱眉叫起来:"哎呀,你好烦呐!你可以走了。"

看着她坐在墙角里幽幽的样子,他心里不好受,头脑中搜寻着能有什么让她高兴起来的办法,对他而言这是一道难题。他觉得这不公平。毕竟她是在面临这样的压力下,在这样的环境中读书。在那时候，他对她的优秀存在着不可证否的信心：她考出任何低分都是可以原谅的，也无损于她的优秀，但高分则只能进一步证明她是优秀的。

晚饭时，母亲看过他的成绩单后问了一句："小燕子这次考得怎么样？"章承低头吃菜，简短地应了句："她不肯说。"母亲叹了一声说："小嬷嬷也太重男轻女，要不然小燕子住在外婆家，多少也安定一些。现在这种环境也难怪小燕子。"他抬头看了她一眼，好像看到一个奇怪的陌生人。

其实他也考砸了。班上第十名。母亲破天荒没有责怪他，只是说："你大了，自己好好想想。明年考高中，或许就会对你今后几十年的命运产生影响，那是你自己的事，你要自己去做好。"这让他多少感到自己被当作一个成人对待了，但也同时感到了一种不寻常的压力。

下午时分，赵老师把章承叫到办公室里："你为什么最近成绩有些下滑？告诉我，在我骨折休息的这一个月里发生了什么事？"他不知道该说什么，以沉默应对着这番好意。赵老师叹了口气："这样，你从明天起，每天中午十二点半来我办公室，我给你开小灶多上一节课。"他抬起头，加了一句："赵老师，能加上许燕如一起吗？"

回到班上，陈铮笑嘻嘻地说："要我讲出去吗？我在隔壁化学教研组找我舅舅刚好听到，嘿嘿。"章承看了看他，生硬地回了一句："你爱讲就讲好了。"

夜里睡不着，他打开台灯，抱着最后一线渺茫的希望，写了一封求情信，然后怀着忐忑不安的心情，在大清早塞到钱老师家的门缝里。

早早吃过晚饭后，他去找她。

在深秋清朗的夜空中，可以看到很分明的北斗七星。在河桥上，章承在仰望着这一切，一个个星体，闪烁着它们各自的光芒，看上去那么近，然而相隔十万光年。它们之间移动、变位、追逐、撞击，但在多数情况下，都无法彼此接近。在这个广漠而黑洞洞的宇宙中，忽远忽近的两颗星球在围绕着彼此旋转，有时一颗意外掠过的流星，被另一个星球的轨道所捕获。他想起来，她像一颗哈雷彗星一样，也许七十六年才会在他的生活中出现一次。是的，哈雷彗星是 1986 年早春掠过的，而她也是那时候出现在自己生活中的，那很难说是偶然。

引力是物质本然的、固有的、必备的，因此，一个人在远距离之外，没有任何东西在中间运作，他一举一动所产生的动作与作用力，应该可以一个接一个地传递出去。

想起牛顿的这番话，他想到了许燕如。"没有任何东西在中间运作"是真的，毕竟空气中看不到什么磁力线；但是否"一个接一个地传递出去"，他并没有十分的信心。在牛顿宇宙中有四种基本元素，现在，光、引力和阻力都已经存在了，那么剩下的加速度呢？

她今晚有些疲惫，她说不想洗碗。"我知道这里所有的事最后都仍然还是我自己做，没有人能帮我完成，但我今晚什么也不想做。"为了避免误会，她笑了笑说，"我这么说并不是暗示你主动帮我去洗碗。"

不知道为什么，她说，阿承，你相信命运吗？

"我不相信。"仅仅是在她面前，他才没有让"伪科学"三字脱口而出。

"可是现在女生中很流行讲星座。星座之所以能用来解释人的性格，不就是说那些遥远的星星能决定你的命运吗？"

"大概是说有某种特殊的引力吧，不过万物之间都有引力存在。"

他知道，没有人百分百相信这种东西，然而，不可思议的想法总是更能吸引人。也许总有那么一个夜晚，人们愿意相信某一梦想也许会成真。梦想成真的事，他从不确信，但却希望她能相信，而她为了不让他失望，也善解人意地表示自己相信。或许，即便真能从那些冰冷而遥远的石头中抓住某些不存在的意义，他们彼此抓住的也会是不同的意义。透过天窗，他仰望着大熊星座，仿佛是在读取某种法则。他永远是在土星的标志下。

她眼里有雾气。那可能是长久独自生活的缘故。

他养成了一个新习惯，每天早晨去和她一起上学。有时他来得稍稍迟一点，她会等他。但这样的时候极少，大多数情况下，是他来后等着她。到那里，有时她还未起床，他就拿着一张小板凳，在屋外等着。门口有邻居家生炉子炒菜，有时还能顺便取暖。他知道冬天早起的确是不容易做到的事，他也一样。瓦片上有霜，有时能看到冰凌和雪。

有时等着她吃完早饭，虽然只是匆匆地扒几口，有时是萝卜干，常常是紫菜或荷包蛋。在她吃早饭时，他就注视着这个不起眼的房间里琐碎的事物：开了盖的果酱、放在水缸上的砧板、剥开来的大蒜，有时是一片干瘪的金柑，缝纫机上挂着粗麻布或碎花布，木盘上或许还有一些碎纸。在早晨的光线下，它们的平凡都得到了升华，而被赋予了油画般的光泽。

只是一起上学，相隔三尺，也没多少话可说。因为这一习惯，他也开始喜欢冬天。他没有拉过她的手，不过想到"两物体之间不一定接触才能相互作用"，他也就感到释然了。他倒也并不是没有憧憬过和异性的肢体接触，事实上，当物理老师讲到著名的马德堡半球实验时，他就偷偷地联想到了两个相吻的人，嘴唇紧紧贴在一起，仿佛要吸干对方口腔里剩余的空气：按照教科书的说法，如果两个半球之间没有空气，那么将需要十六匹高头大马的力量才能把它们拉开。不过他知道，现实中的两个男女一定会在彼此窒息之前松开，而且，就像那个实验的科学理由所解释的，使得这两个物体紧紧在一起的，有时只是来自外部的压力。

从她住的院子到学校要走大约十五分钟。那段石板路，仿佛每天重复上演的同一幕舞台剧，布置着一成不变的背景板：早间的巷子，雾蒙蒙的榆树，每天七点多会看到人流和自行车交错混杂的场面，铃声与杂沓的脚步声混成一片。从百子庵到中津桥，中间要经过一个菜市场，一个肉铺，一个邮局，一个灰尘扑扑的茶馆。在后来，他还会搬运来一些房间和店铺，安置在当时经过的道路两侧。那仿佛是为了进入他记忆而存在的事物：油条摊、铁匠铺、馄饨店、杂货店、自行车修理铺、修拉链的工人、书店。一种微苦的生活气息。每次回想不起什么具体的事件，然而他清晰地记得那一年两侧的许多房间，冷淡的季节，走路的节奏步伐，还有街道尽头那盏若有若无、不走进去无法看见的灯光。

有时候过去，她在那儿忙忙碌碌，好像他就是屋里背景的一部分，好比一把椅子、一个家具。沉默了一会儿，他起身说："我去水池边看看花。"它们有几分蔫蔫的，在墙角幽怨地看着他。她跟了过来，看到了他的神情，止住脚步说："抱歉，我自己也还照顾不过来。"不过她的话里并不包含多少歉意。他"嗯"了一声，没说什么。她又说："孙正宇会来，帮我买米、背煤饼。"她在那洗刷着，看上去像是一个小妇人，以一种让他不悦的语重心长说："你好好备考，不用多来找我了。你可是你爸妈的希望。可能是唯一的希望。他们这样想无可厚非。如果你让他们失望了，有一天你会后悔的。"他听到这里有几分恼怒，试图争辩："我并不是为我爸妈在读书。"她头也不回地说："是的，只有你这样想，你才能实现他们的希望。"

那一年的冬天很冷，有一天经过运粮河时，第一次看到宽阔的河面完全封冻了。河面上堆满了各种小砖块和石子，那是想要试试运气砸开河冰的人留下的。由于这一层厚厚的冰，现在看上去整个河道就像一块毛玻璃，他模模糊糊地看到一些鱼在冰面下游动，就像看到血液在少女几乎半透明的皮肤下流动。希望。青春。美好。决绝。快乐。绝望。尘埃。灰烬。到后来,我盼望这季节快快过去。

他们那天说起了彼此的初遇。"你记得那次篝火晚会吗?六一儿童节,操场上烧了十八个火堆,每个班级围绕着一个,那么热的夜晚,现在想起来简直像烤乳猪。""记得。学校还说要男生和女生插花式地围一圈,但大家都不敢手拉手,所以我那天特意穿了长袖,好方便两边的女生来拉我袖子管。"

也就只有这些碎片了。还有一次是日全食,忘了是哪天,章承只清晰地记得,那次他买了小孔眼镜(戴上去像是盲人,而这副被大事渲染的神奇眼镜,邮寄到时才发现只是廉价的黑色塑料,让他颇感失望),还绞尽脑汁想了许多观测办法。为了观测这多年难得一见的日全食,他逃了迄今为止唯一的一堂课,躲在水泥制成的乒乓球桌下面,等待着空荡荡的操场上完全黑暗下来。在那几分钟里,他听到教室里也一片惊呼,那就好像整个校园忽然被某个恶作剧的家伙用幕布盖住了。

那时许燕如一家就住在小学旁的老宅里,庭院里有一棵因过分高大而显得有几分阴森的枫杨树,后院的围墙上则密布着爬山虎,屋前是一畦菜地。那是那五年来她所更换过的七个住所里的第一个。"章承,你是怎么看我的?一个寄人篱下、无亲无靠的灰姑娘?"他还记得,那时姑妈完全看不出来有什么异常,他在很长时间里甚至并不知道她是因为来沪就医才回到故里的。

有一天,也是在那里。他玩得晚了,被她们母女俩殷勤留下来吃晚饭，他缺乏拒绝这番好意所需要的技巧，不好意思地享受了一顿晚餐。回家的路上，他看到明亮的星星。那时没有电话，他猜到母亲一定因为自己不知去向而急怒攻心，他自己也因为玩得失去了自制而连作业都还没完成。由于这种恐惧，他不由自主地加快了脚步，在路上抽泣起来。

四

实际上，春天原本是个多余的季节。一年有夏冬两季就够了。在这个三角洲，春秋两季都太短暂，更像是一段临时性、可有可无的插曲。

早春开学的第一天，章承得知了陆薇薇转学的消息，班主任的解释是绿华中学那边住读，管得更严格，转过去可能有助于她实现自己的理想——考中师。在章承的生活中，这是第一次有人从他的生活中突然消失，至少是他第一次意识到有这样的事。有那么一瞬间，他以为自己可能永世再难有什么机会见到她了。

也是在那时候，章承搬进了新家里，楼上东侧的小房间是留给他的。第一次有了一个自己的房间和一个可以上锁的旧木箱，他及时地把自己的剪报、书信和模型都放了进去。他刚刚有了自己的领地，就像突然间占领了一个星球的宇航员，感到既高兴又不真实，甚至多少有点无从措手。

去见许燕如时，他并未说起此事。她一边炒菜，一边似乎漫不经心地问："章承，你有自己的书房了吗？"他点了下头，那不

68

仅是书房，还是一个星球。既然她说起，他想了下，决定邀请她去参观一下自己新入住的这个洞穴。正要开口时，他听到她平平淡淡地说："我是不会来的。你知道为什么吧？"

他心里一沉，愕然抬起头来，见她正注视着他，对准了他的瞳孔正中央。

她咯咯笑起来："其实我来找过你，但总是看不到你，还以为你们没搬进新家。"他松了口气，心里仍在揣摩着她前面这句话到底是什么意思，不过还是辩解了下："我就楼上东侧一间，不过平日如果楼下没人，就会关着门窗，可能看上去就像不在家一样。"

她点点头，笑吟吟地说："这样好。这才能一门心思读好书。"

许燕如在生日那天收到了许多礼物。一年中或许也唯有这一天，她可以稍稍任性地提一些要求。在几天之前，母亲就已问，你想吃什么、爱吃什么都能吃上；爸爸也让她自己挑礼物。她人缘好，班上的同学也送了一堆礼物。不过她最期待的还是章承的，虽然以她的了解，送出什么让人惊喜的礼物并不是他所擅长的事。

章承这人，在与女孩子相处这件事上，好像有某种基因缺陷。她能够明显感觉到，他在与植物、模型打交道时都更为自在。生日宴会那天，家里来了许多人，大多都是班上的同学，她也忙不过来，过了一会儿，发现章承在旁便有点不自在，大概是与隔壁班的同学毕竟不熟的缘故。这多少让她有点不快，在忙乱中还要特意拨出精力来照顾他这个人的感受。然而，即便是单独相处时，他有时也还是会有点不自然。等同学们走后，清理桌面时，她把空余的饮料罐递给他，碰到他手的时候，他情不自禁地往后一缩。她奇怪地看了他一眼。

他之后有一阵没来了，上次考得不好，而家里又寄希望于他能考上重点中学。然而他什么时候来也从不提前通知——在没有手机的年代，这几乎也做不到。一天在早饭后，正和母亲一起学着剪裁衣服时，他来了，一如既往地在打过招呼之后就没什么话说了，仿佛他想尽量不引起任何人的注意。

她一边裁衣，一边说："我爸爸说，假如明年还不能把户口迁到这儿来，就回新疆去。他说新疆那边也很好，很美，还说要带我们沿路观光。"以前从乌鲁木齐坐长途车去石河子，要一天。每次她说起石河子，总像是一座虚构的城市，多年后我也去过石河子，但和她所描述的完全对不上。这并不是她撒谎，甚至也未必是因为这些年里中国几乎每座城市都发生了巨变，我想，这或许更主要的是因为根据她的描述而想象的那座城市原本就不存在于现实中。

章承从来没有这样专注地沉浸在备考的气氛中，尽管后来想来觉得不无夸大，但考高中的成绩的确可能会在某种程度上初步决定人生的命运。父亲那时希望他考个中专甚或卫校，这样也好早些减轻家里的压力，这是他在内心深处很排斥的一种想法，毕竟他还是想着要去读大学，见识更广阔的天地。所幸母亲支持他："只要你有这个本事，哪怕将来去美国留学，爹妈都供你。你爹就是短视，他是希望你考了中专，这样将来能回岛，还能把你留在身边养老。别管他。"

很快也无须为此烦恼了。在最后一次期中考试中，他一鼓作气冲进了年级组六个班总排名前十，拿到了参加崇明高中选拔赛的入场券。那时候为了和本县的另一所县重点民本中学抢夺优质生源，崇明中学每年在五月提前办一轮"邀请赛"，以上一次大考的成绩为准，邀请各校初三的尖子生参加模拟选拔赛，考中者直升崇明中学，等于提前收割了一批尖子生。来招生的崇明中学老师中，有一个操着上海话的，对章承连声鼓励："你这样就应该考我们学校！去中专简直是人才浪费啊！"唐老师也转达了这层意思，父亲很快妥协下来，不再提考中专和卫校的话题了。

那是章承第一次踏进崇明中学的校门。他并未想到自己未来三年内都将在这里度过，更多的只是混杂着一丝兴奋、好奇，再加上隐隐而来的惴惴不安。考场就在1958年建造的老旧红砖教室里。总共只考语数外三门，但题目出奇地难，有许多是老师从未教过或已知的解题方法根本答不出来的。不过一到真正进入考试状态，他反而平静下来，况且看到旁边那些陌生的面孔咬着笔杆，他也知道他们所遇到的麻烦并不亚于自己。

邀请赛的结果，全年段六个班级选派的二十人中，仅有四人被录取直升崇明高中，而包括章承在内的三人都在唐老师班上，老唐在那些天里容光焕发，这比任何证据都更有效地证明了他是最值得家长将孩子托付给他的老师。

初夏微风的黄昏，章承和母亲到镇上去散步，路上不少熟人打招呼，在这个没什么秘密的小镇上，几乎大多数熟人都已第一时间知道了他直升重点中学的消息。他感觉母亲脸上挂着一种"看，我就是那个儿子直升重点中学的母亲"的神情，以至于别人不提起这件事几乎对她是一种有意的冒犯。他有点后悔陪她出来散步，那仿佛是被人牵着到处展示一样，多少有些不自在。与面对别人的批评相比，当面的赞扬几乎让他更感难堪和疲于应对。

母亲停下来和人闲聊时，他别过头去，看到镇上那棵巨大的椿树树冠里栖满了麻雀，正叽叽喳喳叫个不停。

"章承，你在看什么？和你同学打个招呼。"

他碍于礼节，勉强转过来，看到了陆薇薇，旁边一个陌生的中年妇女，像是她的母亲。两个母亲在一起客套着，互相表扬着对方的子女，说着在家经常听自己孩子说起对方的孩子是如何的好。母亲此时的记忆力几乎让章承感到诧异，他从不记得自己曾在家里说起过关于陆薇薇的多少事，然而最令人震惊的是，她说的许多细节居然是正确无误的。他皱起眉，侧过脸，忽然看到在旁边低着头的陆薇薇趁母亲不注意朝他做了个鬼脸。他忍不住笑起来。这时他注意到她今天穿了一身明亮的湖蓝色连衣裙。

"你为什么会转学？真的是为了考中师吗？我觉得你还是应该考大学。"他低声说。

她微笑着摇摇头："其实我也不想。"

临走时，她回头微笑了下，轻声说："谢谢你，上次……"

他不明所以，走出很远都还在想，谢我什么呢，他想不起来上次能有什么事，自己好像并没有什么值得她感谢的。

对章承而言，暑假一下子变成了四个多月长。由于已经直升，他无须再去上课，甚至偶尔去学校，也被同学半真半假地嘲弄："你还来干吗？别干扰我们了。"他不善于应对这样的玩笑，渐渐地也真的不怎么再去学校了。

许燕如也在第一时间知道了这一消息。但不知为何，他觉得她并不为此怎么高兴，而且并不是因为"你考上我并不惊讶"。他吃不准她这是什么意思，和她说起时，她只是笑笑说："挺好的，你爸妈应该满意了。"他忍不住争辩了一下："你别总这么说我爸妈，他们望子成龙也是人之常情。"她一脸愕然地抬起头来："我说什么了？那不然你觉得我该怎么说呢？"

两人的眼神对峙了三秒钟，他败退下来，低头看着地面，轻声说："那你接下来两个月里也好好努力吧，你知道，我希望你也能考上崇明中学。"她不置可否，过了一阵才说："我没有信心。而且你看，我也没法一门心思只顾读书。那重要吗？"他看了她一眼，吞咽下了原先想要提议自己在剩下的日子里督促、辅导她一起备考的话语。

空出来的时间，他更多送给了图书馆。如今他有足够的时间去应对天体物理学的事。从五月起，章承感觉自己自入学以来，第一次完整地经历乡下的夏天。他常常掇了一条长凳，横躺在楝树荫下，昼夜都很漫长。柔软的大地毫不在意地承受着他，仿佛他是一个睡在荷叶上的婴儿。他透过手指的缝隙去看树冠之间漏下的阳光，感到一阵令人眩晕的光斑。

那一阵子，他几乎不敢多去找许燕如，她前次的冷淡反应，让他隐隐觉得自己现在的状态只是让她不快，有某种"你已经完成任务了，却来干扰我这个还没完成任务的人"的感觉。不过他既没有去核实这一点，也没有致力于消除这一点，而只是一如既往地试图依靠着自己的耐心，让时间自动解决它。他那时沉浸在一种前所未有的放松情绪中，试图好好利用这一个悠长假期，来徜徉在足够广阔的星体之间，这使他忽略了地面上的事，甚至愚钝到未能注意到自己的成功所造成的一个不可挽回的冲击：这首次明确拉开了他和许燕如之前的距离，以往那种至少在学业上似乎平等的假象自此破除。更为致命的是，当他们俩走向决裂之后，她几乎抱着一种复仇般的决心，要证明自己不输给他，而这再度推开了两人之间原本交错在一起的轨道。

六月里，章承去找许燕如时，才意外发现她竟已搬家，黑色的桐油木门上用粉笔写着新的地址。他急匆匆地赶过去，看到她正坐在小院的丝瓜架下吃一碗稀饭。他忍不住劈头埋怨："你怎么也不和我说一声？"她镇定地看着他，也无意起身，只是淡淡然说："我没有更好的办法通知你。我也不愿去你家，原因你知道。我在这里等你也有几天了，你今天才来。"

他一下子怒气全消，嗫嚅着说："对不起，我只是因为找不到你……"

她笑笑摇头："不用解释啊，我知道。你考上了，不止你父母高兴，你自己也很高兴，而我，也为你高兴。只是我最近有点累。爸爸说这边租金更便宜一些，但我也不知道能住多久……"她说到这里歇了一下，又继续平平淡淡地说下去，"前天医院已经发出了我妈的病危通知书，不过半夜又抢救过来了。"

他心里有一处地方猛然牵动了一下，两手绞在一起挣扎了一会儿，终于蹲下身来，靠近她："心里很乱吗？想哭就哭出来好了。"她用奇怪的神色看了他一眼，然后面无表情地摇摇头说："我现在哭不出来。"那时有一个瞬间，她想拉着他的手过来，放在自己胸口，但手伸出来，一阵微风吹过，手上的汗液蒸发，勇气也随之霎时丧失。

有一阵子，两人都不知道该说什么。她忽然叹了口气说："阿承，你是不是在遇到我之后才意识到自己有多幸运？"他不知道她这话什么意思，也不知如何回答，只能报以沉默，而那几乎是一种默认。

在东窗下，他长久地睁着眼睛，等待着不明的宿命到来。树影窸窸窣窣地晃动着，一阵微弱的南风渐渐骚动起来。暗夜里，一道柔软的彩虹。一个雨季将要开始。夜阑卧听风吹雨。而他还不知道，那会是一场终结一切的雨。

2.5

　　香港进入了雨季。但对我而言，那就像是水晶球里看到的另一个世界。只要我愿意，我可以整天待在这栋大楼里。酒店在楼下，办公室在楼上，三餐也懒得冒雨出门解决。我的世界里干燥无雨，不受日夜和季节节律的打扰。如果不是起身去窗边远眺一会儿，外面洪水滔天也不会知道。这有点像是在回望十多年前的自己：同样是隔着模糊的玻璃，甚至同样地对那个世界里所发生的事无能为力。

　　今晚不知怎么了，感慨特别多。大概是因为外面的风雨交加，让我感觉像是困守在一个岛上，虽然安全，但也无法离开。也很奇怪，以前在崇明，分明是在一个岛上生活，可自己很少感觉到，因为平日的生活也就这么方圆一二里地，连长江边都很少去。但在香港，在澳大利亚，我不时会感到自己是在茫茫无边的大海中央，好像脚踩在一块不知什么时候就会被海浪冲刷殆尽的礁石上。

想想自己迄今为止的人生，除了小时候在石河子那段短暂的安稳时光之外，好像总是在各个不同的岛上度过，真不知为什么。岛总让我感觉自己被禁锢在那里，它并不属于我，我也并不属于它。而我却又总是和它相连，包括你。翻出几年前逼着你给我写的那封信，看了又看。想象得出你写信时的无奈和淡笑，会不会偶尔摇一摇头？这次又是逼着你写小说，虽然我不想老催你，不过，偶尔还是想提醒一下你答应我的事。

我真完全想不起那封信的内容了。甚至不记得她逼我写过，当然如果有，那也不奇怪。这是我们惯有的交流方式：她生活在遥远而陌生的人群中，就像是某个外星基地，有时因此会有所感触而发来一个微弱而滞后的信号。

在答应周岚写小说之后不久，我就后悔了。并不是要放弃写作，只是发现那比自己预想的要艰难得多。这时我理解了为何加西亚·马尔克斯写《百年孤独》足足花了十九年之久。写作是苦役。如果打算写一部长篇来与自己搏斗，那就更是了。

如果没有答允过，那我大可按着自己的节奏慢吞吞地准备——"准备"会是延迟下笔的一个很好借口，尤其适合安慰自己，但这很难用以搪塞周岚。在之前那么多年里，她也从未提起要把这些过往写下来，但一旦契约完成、指令下达，她便成了最难对付的监工。每隔一段时间，她便会以各种方式或明或暗地提醒我及时兑现诺言，并通过增加我负罪感的方式，鞭策我以完稿来赎罪。让人等待是一种罪孽。她向来擅长强化我的这种认识。

还在我酝酿的时候，她便在微信上问："我可以预支一些段落看了吗？半年过去了呢。""你再耐心等下，我需要时间。""我不知道你需要那么多时间。好吧，其实之前是因为很多事情不顺，有些撑不住了，想看看你的文字也许心情会好些，给我一些力量。七月到十月那段日子对我来说有些像噩梦，仿佛类似高中那段时间，如同那时盼望你来信一样地期望看到你的文章。哪怕有几句也是好的。"我那时被迫承认，由于还在思考框架和整理材料，我尚未动笔，她大概略感失望，说："那我是不是可以当作你食言了？不过罢了，我这两天心情也调整过来了。"

这样平静了两个月，她在微信上露了个笑脸。我知道她必是来催问小说的进度，先知趣地坦承了进展的艰难。那边沉默了一下，淡淡地说："如果很难，不用勉强，以你的生活为重，想要有些回忆，让你为难了。谢谢你那么认真对待，原以为你会敷衍完成。"我回了句："我常发现你对我信心全无，不知什么缘故。"手机屏上在几分钟后显示出她的回话："我做人真失败，与人沟通这么不成功。不过没关系，好在也只有对你，要不然太多话不知怎么讲。"

她说，我十六岁的时候没有想到自己三十六岁时是这样。在我看来，她和自己十六岁时并无多大差别，虽然当她用同样的语句描述我时，我有一种不愿再作解释的遗憾。我对她现在的生活缺乏了解，仅限于她自己陈述的只言片语，抽离而不可捉摸，而进一步的了解则可能是一个陷阱的诱饵。

第二、第三章写得比开头更为艰难，虽然那包含了不少美好的记忆，但直到着手去整理，才发现那已经是一堆瓦砾，仿佛在仓库里风干已久的黄豆。草草先给她看一下，我有一种不忍卒读的感觉。说实话，沉浸在这种青春小说的深处，在不少人看来，恐怕实在是品位可疑。

她每次看完后补一些读后感给我，然后说，你不想写可以不写，或慢慢写，没关系。我有些难以掩饰的不快，说："我得老实承认，我有两次都被你催得有点烦了。"

过了半天，她终于回过来："我有时候总是会忘记，一直以为你还是那个对我的请求百依百顺的少年。其实很多时候骄横无理的要求也只是说说而已，我从来不会真的要你做些力所不逮的事情，只是想要被人宠溺的感觉，很多时候便变得无理，一直不想承认，现在想想自己就是这么一个矛盾自私的人，让你困扰了。早上看到你的短信一瞬间挺伤心的，想很久才想通了，你没有欠我什么，也罢，我不再催你，你也别再烦我了，我珍惜这个感情。"

她说，没关系，你上一次也让我等待了许多年。

(3.0) 楞次定律

一

　　等待。章承一度以为这是自己最擅长做的事。因为那需要某种深切的无望。

　　天色尚明的时候，章承走进苦楝巷。就像从盛夏的烈日下陡然进入黑暗的仓库一样，跨过界线的那一瞬间会让人眼前一阵晕黑，片刻镇定下来才能获得一种看清周遭的特殊视力。他在这里暂时成为一个地质学家，试图通过遗留到现在的残骸与痕迹来追寻过往所发生过的事，那都是在缓慢的地质变化中所积累下来的蛛丝马迹。

　　重重叠叠的房子，即便在发生了那么多事之后，看上去也还是不动声色，带着某种冷淡的表情，无意迎接他归来。它们停留在某种风暴来临前的光亮中，像任何一个旋涡的中心。他在这条潮湿的巷子里徘徊得够久，以至于差不多就要长出苔藓来了。

经过许燕如曾住过的地方时，他压抑着狂跳的心脏，特意张望了一眼，就像回到犯罪现场去自我指认，却发现一个陌生的中年妇女也正以一种诧异的眼神看着他。他的心一下子沉落下来，感觉自己走了几十里的路，才发现那里此路不通。虽然回头想想自己的反应奇怪而可笑，难道自己原先期望的还是能看到许燕如出现在那个门口？除非那是在四维空间里——然而如果是这样，自己也将难以介入这个三维的世界。那是一个提醒：生活中发生的事情无法与自己的感受对应，因为自己期望的是不可能发生的事，以至于责怪现实世界的不合预期也显得如此不可理喻。

在这个世上，秋天正在降临，每个人都注意到树叶或黄或红，但那才是其本来面目，只不过以往都被树木不断生出的叶绿素掩盖了，而我们却把那种伪装当作是叶子所本应具备的样子。夏天的浓荫蔽日，只是一场盛大的假象。

街上新铺了人行道，他走过时保持着固定不变的步伐，确保每次刚好跨过两块地砖，他计算过，这样每步的距离是七十五厘米。远远望去，他的走路姿势就像一个土地测量员。不知为何，他感觉好像离开已久，自己熟悉的世界变得陌生起来，就像一次远行后归来的游子，由于看过了世界，那个破败的、包裹在自己的硬壳中的小镇自此呈现出完全不同的面貌。

小巷正要拆迁重建，许多墙上已标上了鲜红的"拆"字。一些巨大的水泥管安放在那里，似乎是准备做地管铺设用的，看起来如同一个个时光隧道。他站在巷口，楝花已经开过，小巷像一部曲折的戏剧在眼前展开。他此时想起，值得为她去准备一个剧本。苦楝巷。只有在这个内在而自足的世界里，他能找到自己所需要的所有蘑菇；当这段历史在眼前展开，他有一种巡视自己王国的感觉，只有他知道那些事件都分别隐藏在哪里。他回想起不久前发生的事，那仿佛一阵致命的海潮，依然定期拍打和侵蚀着不设防的泥沙海岸；而他，作为一尾搁浅的鲸鱼，因为大海无情且猝不及防的退潮而奄奄一息。她不在了，一半的记忆也已不存在。如果我不在了，那么所有的记忆也将不在了。是的，他想，在悲伤与虚无之间，我选择悲伤。[1]

他欣赏着那堆废墟，那里依然游荡着往事的幽灵，像一个已湮灭的王国。过往如异国。那是他当时就能体会的真理。想起那次两人坐在燃烧的煤球炉边。仿佛一堆热气蒸腾的篝火，在那时各自逃离了少年时代的孤独，煤烟的气息或多或少带来一种成人日常生活的气息，中和了那些幼稚的感受。对他来说，度日如年是可能的，因为一天可以浓缩并包含一年。只是他以前从未想过，事情可以在一天之内彻底改变。随着她吐出那句宣判词，在那个原点，宇宙膨胀、粒子运动，他们新的时间生成了。以往的一切，都只是开场的引子。[2]

黄昏，上空巨大的云朵渐渐变成深奥的蓝色，像一条深海的

---

1. 引自福克纳《野棕榈》。
2. 引自莎士比亚《暴风雨》。

鲸鱼，肩负着一个城堡，四处询问不确定的未来。看到那些云朵缓缓移动，他感到不可言喻的平静、幸福与孤独。那一刻他忽然想起，它们真正的移动速度应该快得多，只是因为距离较远才有这样的错觉，就像天空中那些看来纹丝不动的星辰。这让他意识到许燕如也在彼岸的城市迷宫里和万事万物一起移动。只是他那时无从知道，在以后的二十多年里，她将会像柴郡猫一样，凭空出现又消失，而在消失之后很久，她的微笑都还挂在半空中。

　　太晚了，太晚了，在我这一生中，这未免来得太早，也过于匆匆。才十八岁，就已经是太迟了。在十八岁和二十五岁之间，我原来的面貌早已不知去向。我在十八岁的时候就变老了。我不知道所有的人都这样，我从来不曾问过什么人。好像有谁对我讲过时间转瞬即逝，在一生最年轻的岁月、最可赞叹的年华，在这样的时候，那时间来去匆匆，有时会突然让你感到震惊。

　　后来章承读到杜拉斯的《情人》开头这段著名的文字时，很能体会其中的意味，因为他自己也是如此。唯一不同的是，他认为自己十五岁的时候就老了。想来许燕如也是如此。话又说回来，这种因为某些决定性的小事而萌生的"我已历尽沧桑"的念头，或许本身就是青春期的特征之一，那种带着自怜的幼稚敏感。

　　自那时起的一段时间里，他保持了一种奇怪而矫情的习惯：他开始用第三人称写日记，仿佛是在记录另一个人的生活与思想。那个人不叫"章承"，他把他叫作"K"。按罗兰·巴特说的，一个感到自身变成了客体的主体。把自己当作一个熟悉的陌生人，一个仿佛是与自己完全分离开的外在物体，而他只是寄居在这个自己怀有敌意的躯壳里。这可真是一种平静而疯狂的念头。"连我都会无法跟自己相处"（ni me aguanto yo）[1]。在这个无人看得见的地方，他在应付整个世界的同时，还要无时无刻地应付自己，并与之顽强作战。那是一场漫长的常规内战。在折磨自己的时候，他的确堪称一个毫不留情的施虐狂。但这种超然也使他与自己的痛苦和原有人格分离，因而在一定程度上又成为他独有的自我防御反应。

由于这段经历的存在，他永远无法以那种不容置疑的自信来说话，因为他随时准备反对自己所说的一切，就像重读剧本时忽然惊恐地发现自己无法扮演好那个即将上台的角色。他越是回想这件事，就越是感到自己本该避免这种悲惨而又可耻的结果。由于最不能原谅的就是自己，为了这悔恨，他产生了一种深沉的自戕冲动，虽然由于胆怯而从未真正付诸实施。

在这所重点中学的校园里，他独来独往，沉默寡言。事后来看，突如其来的孤独促使他早熟，虽然这并非许燕如的本意。他使自己处于一种空无的状态，除了学习之外，几乎不思不想。刚过去的那个夏天里所遭遇的挫败，助长了他性格中自闭和被抑制的一面，也让他产生了一种"人生可以划分为遇到她之前和遇到她之后"的幻觉。由于这段感情未能正常结束，又从未完成，这在他心里造成了一种蔡格尼克效应，其力道之强烈，几乎使他变

---

1. 加西亚·马尔克斯语，引自哈特《马尔克斯评传》。

成一名哲学家。基于一种过分的纯洁，他从来不认为自己曾拥有过她，却已感到自己永远失去了她，尽管从逻辑上说，"失去自己从未拥有的事物"不无奇怪之处。由于顽固地坚持这并非爱情，他甚至无法确切地描述自己所处的状态，因为根据定义，如果不是爱情就不能说是失恋。但那种幻肢痛却每天真切地提醒着他：自己的确失去了自身的某一部分。

在过去那个物资匮乏的年代，相机是一种奢侈品，而合影则是一个太刻意而隆重的仪式，日常生活的瞬间似乎又不值得拍下来；由于她的突然抽身离去，他也未能提出要一张照片的无礼要求，因而当她离开后，章承只能靠回忆来加固脑海中她日渐模糊的形象。唯一可堪校正这一模糊印痕的，就只有一张小学时的毕业照，她也就此长期定格在十二岁的年纪上。在那里，男女生分开列队，两人隔着两排人群，在黑白的影像中彼此分离。他们的眼神当然也不可能看着彼此，就像在各自相离轨道上的星体，又或是两个尚未接触的世界。她那边所堪凭借的也只有同样的这一张黑白合影，因而在那个夏天之后的大部分时期里，两人在各自的生活中都由三维立体的活人被降维成了二维平面的存在。

尽管他也时常想起一些美好的片段，但最终的那件事，仿佛是灰色的云朵，吹拂不去，被地心引力固定在离地三米的头顶上方。他不能不去回想那些曾发生过的事，然而，那就像在毛衣上抽出一根线头，在越来越多的线被抽出来之后，整件衣服遂变得不可支撑。那变成了他不可洗刷的原罪，一个道德污点。然而他没有辩解，辩解是更不可饶恕的罪过。他自惭形秽，知道罪有应得。许燕如不仅是在地理上的彼岸，也在心理上的彼岸，那种可望而不可即的感觉，正如隔开他们的水面一样不可逾越。那时候，他就像一个站在深水中的罪人，四周没有一片浮木，甚至在任何一个方向都看不到彼岸，以及可供呼喊的救援船只。他也盼望能有一封亲笔信，以充当天国降下的救赎。

然而没有。始终没有等来。

在这所重点中学日复一日的时间中，章承逐渐掌握了某种属于自己的节奏：夜间九点半熄灯，早间五点半吹起床号，然后来不及刷牙，急匆匆地披上衣服往操场跑，排队点名后环绕操场跑八百米，之后就再也无法睡回笼觉了。晨读之后是早餐，每天的稀饭与包子，然后是四节课，午饭，再四节课，晚饭，夜自习，熄灯睡觉。周而复始。在这里，每个人都很自觉，每一丝力量都被用来对付生活。他们被告知大学正在不远的前方闪闪发光地召唤着他们，久之不免让人怀疑，所谓希望就是榨干人的力气拼命去够但总也够不着的那根胡萝卜。到了晚间，即便是他，也会产生一种肌肉酸痛的感觉。

在跑道上奔跑时，他回望了一眼，看到这群瘦削而年轻的囚徒，眼睛异常发亮，心里一凛，他从中看到自己的样子。那过的就像是某种监狱的生活，丧失了对外部世界的渴望，自己的所有身心已被日程表占满，只留出某些偶然的瞬间给可控的回想，恰似油腻腻的餐桌上昨日遗留下来的面包屑。

难以置信，在这样一个过程中，一个人会慢慢地熟悉并喜欢上这个环境。这里是与外部世界隔绝的岛屿，岛中之岛，而他本人又是其中的一个孤岛，一层层的仿佛俄罗斯套娃。这赋予人一种心无旁骛的感觉，能熟悉这里的一草一木。每天的行程也是固定不变且经过精心计算的，到后来他形成了一种稳定不变的生物钟，每到想要早起的时候，一般不用上闹钟就能及时警醒，那时他已能管理自己的每一块肌肉。晨读甚至是一种愉快的经历。在校园的围墙内有一片深深的小树林，樟叶满地，初夏时分的紫藤架上开满了柔软的花朵，其芳香油的粒子经过波浪般的运动递送到几十米开外，他那时每天四点起床，趁着微弱的天光在那里读书，那可以使他不去想别的事，而这是一种对抗坠入深渊的有效方式。他以一种过早衰老的心态应对着新鲜的挑战，承受着不确定的命运在头顶上的盘旋和召唤。

只有夜自习结束后的半小时是闲散的时光，八个男生挤在宿舍狭小的空间里嘻嘻哈哈说些笑话，有时聊得太投入，正兴奋地翻书印证论点，或看着对方起劲地辩论，眼前便一片漆黑——他们在好多天之后才逐渐习惯了一到晚间九点半就毫无预警地全楼熄灯的管理风格。在熄灯之后，无法入睡的人们总要再聊上一阵，永恒的话题是女生、笑话与学业，有时是上述三者的结合，不过章承和隔壁床的赵震聊的则是天体物理——他们在最初的三个晚上谈的都是黑洞。虽然在总体上，他喜欢倾听胜过诉说，甚至只和自己诉说，然而天上的事毕竟总还是能让他暂时忘却地球上的琐屑与烦苦。

赵震记得最初见到章承时的样子。开学那天有细微的风雨，上一个雨季刚刚结束，仿佛天地在经历了一次宣泄之后刚刚平静下来。他走进朝北的教室时看到一个男生坐在靠窗的位置，眼望着窗外。身上的衬衫洗得有几分发白，但很干净。最初的日子里，他话很少，比自己更少，在夜自习后喧闹的宿舍里往往也只是默默盘坐在自己上铺的床上，显得冷淡而多思。直到那天不知有谁起头谈起了飞碟和外太空，才听他插话了几句，虽然他的发言往往是结论性的，有时让人很难继续下去，但天体物理几乎是当时唯一能和他交谈的话题。

然而他并不是物理科代表，而是化学科代表。当时他们的化学老师是个古怪的老头，讲普通话时带有浓厚的苏州腔，"放学"说得像"放血"，而在本地话里这原本是截然不同的发音，常常引起哄堂大笑。他在选科代表时也采取了一种新奇的方式：他第一次来到教室，一言不发地在人群中转来转去，走到一个和他一样高瘦的男生面前，问："你愿意帮我做点事体吗？"那人愣了一下，说愿意。他说："那好，从现在起你就是我的科代表了。"那个男生就是章承。

章承家其实住得离县城不算远，不过他还是选择住读。赵震隐隐有一种感觉：这人似乎喜欢某种规律性甚至强制性的生活节奏。他看上去平静乏味，完全不想引人注目，最后才发现那可能是他的某种自我保护策略，就像生物进化出来的本能。在体育课上，两个人都踢后卫，那至少很适合章承：对于这样高中生水平的球赛而言，他几乎无须积极地奔跑和进攻，而只需要在情况紧急时防御，而这看来明显是他更拿手的事。

那时刚开始改变一周六天上课的习惯，但也还未直接切换到双休日，在过渡期间只在周六下午多放半天。但赵震发觉他很少会像大部分人那样周六午饭后就走，总要在教室里再多坐一会儿，而周日午后返校他往往又是最早到的。那时班上刚好四十九人，每人一张自己的课桌，分成七排，每排七人，男生坐奇数列，女生坐偶数列，每周奇数列和偶数列各自内部轮换，因而女生永远不会坐到窗边，仿佛在过马路时总被两侧的男生保护着一样。只是轮换座位时，很多人就只是搬动自己的那一张桌椅，而把别人（尤其是走读同学）的往旁边一推。好几次，赵震看到他在那里默默地搬桌椅，把别人的也一张张搬过来，仿佛一个有洁癖的排版工人在那里校对铅字，与其说是由于品格，不如说是钟爱秩序感。他花了很多时间在教室里，在读书上自觉到无须督促，虽然常常未必是读课本教材，但赵震有一种感觉：那未必是他多用功，因为谁也不知道他究竟把时间花在想什么上面。

这一天，赵震在熄灯前送来一封信，那是他在夜自习后去门卫那边拿来的："章承，你的信。是女朋友吗？"那时他们已稍稍熟识，足可开开这样略带不怀好意的玩笑。

那是许燕如走后第八十七天晚上。由于长久的期盼，章承来不及愠怒，劈手夺过来，信封上字迹娟秀，但又带着某种懒洋洋的洒脱，这显然不是许燕如的笔迹，但也想不起来是谁寄来的。没有落款，也没有署名。

他只能从邮戳上猜出那是三烈中学寄来的，因为那个镇子只有这一所中学。可是他不认识任何一个那所中学的人，若说是笔友，也不像，因为写信者显然认识他，甚至还称他为"白鱼"，他初中时的绰号。

他想了半天，想不起来是谁。直到熄灯时分还是没想起来。

初冬时，学校的社会实践让大家协助汽车公司调查客流量。章承和同学四点就起来，迎着寒风去当时还在南门的老汽车站。街市上空无一人，尚未苏醒，他们怀着少年人特有的兴奋劲登上了头班车。工作很简单：两个学生各守住一个门口的座位，计算每一站上下车的人。到那时为止，他从未去过岛的东部，虽然只是平平无奇的乡野，看着也觉新奇。他靠着车窗，迎着初冬早晨尚未浮现的曙光，向东驶去。当太阳跃出海面，金黄色的针芒在常绿乔木的叶片之间闪动时，他第一次在速度中体验到了某种自由带来的快感。

来回跑了几趟车，他在间隙中低头计算着每个车站的客流均值，设想着如何以时间为轴线来估算不同站点的流量，再把它们做成可视化的图表。午后时分，从东向西返程接近三烈中学时，车停在一棵巨大的樟树下，他当时并未注意陆薇薇正在那里翻书等车，因为寒冷，她把滑雪衫的帽子罩起，低着头；她后来说自己也没看到他——或许这么说是出于礼貌。到买票时她才在背后说："给我买一张九角的票，好吗？"

是她先开口。她可能是以为坐在售票员座位上的此人就是售票员本人，但那分明不是，那可能就是她找到的破冰切口，因为对女孩子而言，迂回是搭讪时特别有用乃至是唯一重要的技巧。

他回过头来看到少女柔和的目光，一触即分，仿佛彼此都看到了对方放射出的耀眼光芒。车上拥挤极了，他站起身来，示意她来坐自己的座位，她执意不肯，但终于拗不过他。他站在旁边，用背部挡住挤压过来的人群推力，临时充当起一道防波堤。他想低头和她说点什么，目光却刚好落在女孩的后颈上。

"我们班除了你，还有谁考在三烈中学？"他问。

"只有李莉了，你还记得她吗？"

记得，那次她还因为生日会的事挨骂过。不过重点不是这个。就算再木讷，此时他也心里雪亮，那封信就是陆薇薇写的，此时他甚至终于隐约回想起她在初中时的笔迹，毕竟在小学里就曾看过她的黑板报板书。但他并没有向她确认，以此打开这个话题继续谈话，她也莫名地十分羞涩，仿佛那一开口就会让彼此尴尬似的。快一年没见面了，他注意到她留起了长头发，但即使是这一点，他也没有说出来。

车子行驶在微微起伏的大地上，仅有的一点话谈完，他们就陷入长久的沉默，于是不约而同地看着窗外，感受到地下土地迟缓而重浊的呼吸。又过了一程，太阳沿着预定的轨迹渐渐向西滑落，暮色中的运河倒映着蓝紫色的天空，肥胖臃肿的公交车一路喘气逐日，以确保这两个少男少女能在日落之前回到那座破败的城镇。

"你多久回家一次？"他仿佛得到救赎般找到了一个话题。

"我每周都回，但很少这个时间走。"

为了避免之前那样长时间的沉闷，她决意撇开起初的羞涩和惊讶，主动谈点什么。她抱怨起对高中生活的不适应：远离父母的孤独感；强大的学习压力，仿佛同学之间也不剩下别的什么了；以及对新教材的不满。三烈中学那时是上海市的新教材试点学校，有很多新思路撰写的教材，和其他学校一对比，发现每一种都不一样，特别是历史书，就好像一个故事可以有两种不同的讲法。这让同学们感到不安和惶惑，他们担心这会是一个巨大的不利因素，在将来考试时，他们说不定会被证明为是一些被拿来试验的小白鼠，因为绝大多数学校未采用新教材，试题肯定还是按旧教材来出的。章承倒是很感兴趣："听你说这些，还挺有趣的，什么时候找你借来看看？一个周末就行了。"她嫣然一笑："就知道只有你这种怪人才会感兴趣。"

到站时，章承提前把统计表让同学代缴，自己下车送她一程。北门路上梧桐树叶堆积，走上去咯吱咯吱响。他问："我记得你小学里就出过黑板报？"她侧过脸，露出一丝惊讶："你还记得？没错，六年级时有个周末，我记得在板书时你和谁刚好也在隔壁班出黑板报，跑到我们班来借蓝粉笔。"说到这里，她笑笑说："我那时的字很丑，也不知为什么老师要叫我出黑板报。"

他的确记得，甚至还记得她那天穿着一身粉色连衣裙，因为个子不够高而站在绿漆的长条板凳上，端端正正地写字，那字迹根本不丑，只是还不像现在这样洒脱。至于借蓝粉笔的事，说实话，他已忘了，但看到她的微笑，不知为何，他愿意相信那是确实发生过的，甚至多发生那么一两次他也不会介意。

走到路口，抬头已能看到那个有花的阳台。她笑笑："你回吧，你又不顺路，还一直送我？"

黄昏的街市上渐渐尘埃落定，温和的光线从西边穿透过来，他回头看了一眼这个女孩子的背影，看上去带有某种不含戒备的安静。回学校后，他立刻翻出那封原本不知道收件人的信，写了回信。

不知有谁先起床，在廊下大喊了一声："下大雪了！"一整座宿舍楼都在兴奋中苏醒过来。章承拿着毛巾和漱口杯刚打开门，就看到扑面而来的纷飞雪花。那时，她低头避雪，与同学一起向东走。是的，想起来，那天她穿着一件大红的外套。对南方湿漉漉的雪，她那时不屑一顾，"只适合堆个拳头大的雪人。"她说。

和去年不同，这一次雪并没有持续很久，午后就渐渐平息下来。他踏着地面上的残雪去东门外候车。快到车站时，被人迎面叫住："这是，章承？"他抬起头来，见到一脸惊喜的钱老师。他应了一声，心底里想起母亲叮嘱过的，自己总是低头走路，不会主动叫人而失礼。

"好久不见啊，章承，唉哟，你变瘦了！毕竟重点中学，读书辛苦吧？"钱老师侧头仔细端详了下他，他从她的眼神中判断出那种关切和慈爱，仿佛如果他是她的孩子，她这时早已忍不住要摸摸他的头了。"也还好，"他实话实说，"并没有比其他人更辛苦。"

顿了一下，他问："钱老师，你有许燕如的消息吗？""我正要和你说这事，前几天她来了一封信……"她刚说到这里，旁边一个中年人走过，惊喜地叫起来："老钱，怎么在这里遇到你？真巧。"章承不得不忍受着两个成年人之间的那种琐碎的寒暄与攀谈，这和足球场上不同，你在自己刚刚欣然带球打算射门却被人忽然抢走时，至少可以立刻追过去设法抢回来。不过，那几分钟里有一点是已经确定的：许燕如和钱老师有联系，只是没有找他。他在酸楚之下又觉自惭，毕竟那是应得的惩罚。

她过来继续："这到底是你的不对了，她给你来了信，你怎么音信也不回？"

他被这个惊雷炸到，在通电之后头顶毛发焦黄，张口结舌："我没收到呀！"

钱老师一跺脚："那可坏了，我一封信刚寄走，她来信说，对你去年没出席葬礼有意见，后来给你来了封信……"

"我没收到呀，真的！"

"好好，不说这个了。她来信问我是否见过你，问你怎么样，我说只在两三个月前在街上远远见过你一次，人瘦了许多，读书也实在苦，可能确实抽不出时间；劝她别太固执。我也对她说，他不回信总有原因，他平日为人一向不错……"

他惊讶地听到这些消息。出于耻辱和自尊，他从未想要写一封信去作自我辩解；又由于一种深切的无望，他对于四个月来没接到许燕如的来信也从未起疑，既然她已那么决绝地唾弃了他，那断绝来信也不过是惩罚的一部分——实际上倒不如说，他更惊讶的是她竟然曾给他写过信，这在某种程度上就像把一个人打入炼狱之后又要他复活。他的心怦怦跳着，设想着如何解释这一新

94

叠加的误会，而按照他对许燕如的了解，几乎很难让她相信这仅仅是个偶然。看来邮递也有自己随心所欲的神灵，喜欢在关键的时刻进一步把事情搞得更混乱，以从中获取不知如何才能理解的愉悦。

看到他惶惑的样子，钱老师宽慰了下说："没关系。你那次不是还因为她考得不好向钱老师求情嘛，那纸条我还留着，只是没机会给她看，她要是一看，肯定会消除误会的。"他苦笑了一下，对此他实在毫无把握。以他对她个性的了解，她的问题通常只能有一个正确答案。

远远地见到车来，钱老师推了他一把："车来了，你快上车。"

"您有她地址吗？"他在登上车厢之际回头问了一句。

"我下次写信告诉你！"

那句话从身后传来，但邮递之神再次发挥神力，她之后好像就忘了这事。显然，即便是钱老师，也并未意识到这件事在两个少年人交往中那种无与伦比的重要性，而只以为是一个可擦洗的误会。在焦躁等待时，他也曾去钱老师家找了她两次，但都扑空了。那时候，他开始意识到了，在和许燕如的关系中，他第一次在一片开阔的未知海域中航行，前方再度聚集起乌云。如今，他就像一个原本以为由于自己的过失而永远丧失了机会的选手，正沉浸在不可自拔的沮丧中，忽然却得知他被拖入复活赛和加时赛，而他竟然迟迟才知道这一消息，以至于看来面临再度丧失机会的危险，而前景如何则取决于另一个选手——她同时又是裁判——的心情好坏。由于当初这样一个不经意的行为引发了令人恐惧的连锁反应，这让他在之后的人生中对命运所施加的偶然因素始终抱有必要的警惕。

在之后一段时间，在路过邮局时他总不免会情不自禁扭头看一眼，倒像那是个神坛，说不定什么时候就会掷出一根下下签。那天也是这样看时，有人转头和他招呼，"不认识了吗？"是孙正宇。他初中毕业之后考取了虹口区的一所中专，学建筑安装。那边班上没几个女生，都是一堆精力无处宣泄的单身汉，日常无聊了就写信打发时间，"上学期写了这么厚一沓，"他笑着比画，"本来也想给你写一封，但怕打扰了你学习——怎么样，在那边还可以吧？"

章承笑了笑，象牙塔里的生活，也只是如此，他问："你在上海见过许燕如吗？""她去上海读书了？我有次在回岛的渡船上好像远远看到过她，但隔着人群，不确定是不是她，下船又已找不见她了。这么说，她妈是去世了？""是。""怪不得，我见她似乎不大开心。"

听到这里，章承沉默下来。孙正宇也停顿了下，笑起来："你怎么了？你们有误会吗？"他拍拍章承的肩膀，"不要紧，女孩子心软，多说几句好话就行了，能有什么了不得的事呢？"

终于收到了钱老师的信，章承这才知道许燕如的通信地址：宝山区道川中学高一（1）班。然而这个地址其实也被漫不经心抄错了，"道"应该是"通"，所幸这一次邮递之神已经没有兴致再消遣他。

直到此时，他才知道许燕如曾回岛过春节，还去了钱老师家两次，一次年三十，一次正月初五。虽然从和孙正宇的谈话中，他已知道她回过岛，但这才算是确认了——那一瞬间，他甚至有几分责怪钱老师没有在当时就安排他们见面，但随即又涌起一种难以面对她的痛苦。她对钱老师说，现住在姑妈家里，总有一种寄人篱下的感觉；"她的确说过很难原谅你，因为在她最痛苦、最需要人安慰的时刻，你却不肯露面。"

现在重新体认这些指责，使他越加感到无地自容。他不知道如何去应对这个不幸事件所造成的可怕后果，承认似乎不能变得更好，辩解则更为糟糕，而他又不能回避或转移它，何况自己也不清楚有什么技巧能使女孩子破涕为笑——运用这些花言巧语一向是他所不屑一顾的，在他的观念里几乎等同于不道德。这其中最令人困惑的一点，是他不清楚自己究竟承担着什么责任：她把他界定为"表弟"和"朋友"，但她显然对未出席葬礼的其他任何一个表亲和朋友都没有表露出如此强烈的愤恨；当然他不言自明地理解她以此委婉地表达出言不由衷的感情，然而这却又完全是以一种否定的方式说出来的，其中有着逻辑上的迂回：你对她而言是最重要的人，这体现在她最不能原谅的就是你这一点上。

在深夜的窗下，他回想起所有这些事，想起那些愉快的时光，他意识到，原有的那种无理由甚至无理性的激情，就像经历了一次雪崩之后再也无法聚拢回来一样。他甚至不知如何概括这些事，就像一个剧本写完之后却不知应该给它一个什么样的标题；而这个剧本乍看起来分明是一连串俗套、蹩脚而冗长的情节所组成的。

在寄出给她的信五天之后，K收到了回信。在门卫那里看到信的落款时，他头脑里轰地一下，几乎是哆嗦着手指把信一把抢过来，奔跑到就近的一盏墙角路灯下去拆阅这一期待已久的神谕。在早春的阴寒夜风里，他浑身发抖，感到自己的五指和内脏都在痉挛。

"的确，正如你所说，我恨你，恨你入骨，"她说，但现在已不恨了，"原来，我那么恨你，是将你当作好朋友，在我开心或不开心的时候我都是那么希望你来和我共享或承担，一旦没有实现，我就恨你，其实无所谓，只要我不把你当好朋友，不也就了结了吗?"后面"可是、可"三字被急骤的粗线涂画掉了。

她说，你有足够多的理由来，可是你没有。"我没有一个可以诉说的人。但是我怎么就不再想到你了呢，这个答案你应该知道。我对你太失望了。你本来是个男子汉，但世俗将你软化了。你并不是可恶的人，但也不是十分勇敢的人。我了解你，你不是一个小人，但不一定是个合格的君子。"

男子汉。不知她是依据什么来把以前的他界定为"男子汉"——他既不雄壮，也不威武，未必勇敢，有时甚至也并不坚定，但至少在那之后，她就经常把这作为衡量他的一杆万能的标尺，试图激发他的男性气概。因为在她看来，他那次没有出现在葬礼上，当然不是因为不会骑自行车这样荒诞可笑的理由，而纯粹只是在世俗眼光之前畏缩、避忌，以及不敢起身反抗父母而已。好像他当时是一个说好了一同私奔，但却害怕承担责任而临阵脱逃的胆小鬼，一个与世俗同流合污的灵魂，值得堕入不可超拔的深渊。

现在，她寄住在姑妈家，"我必须每天靠回忆温暖自己冰冷的心。爸爸不常来，他到我这里要乘半天的长途车；哥也不常来，他的学校离我这里也很远。"刚才在上海实习的孙正宇来庆祝她生日——看到这里，K几乎感激孙正宇。"如果你在上海，你会来看我吗？不，你不会，你不能。虽然我很恨你，但看到你的名字，还是很开心，虽然你寄给我生日卡是意料中的事，但仍很欣慰，经历了这些，你仍然记得。"

她做了校园小记者，知道她家里情况的同学还为她组织了募捐。"好啦，你毕竟现在是重点中学的学生，和我不一样对吧？不过我并不自卑，我要说，这次让我看穿了你的庸俗，光环落去，你也只会是个不会工作、不会治家的书呆子。我更当你是朋友，如果你也这样认为，我们可以继续通信，不然，你可以做妈妈的乖儿子，不要回信，然后再说信没收到，学习忙，不想'打扰'我，你尽可以这样说，因为我总会相信。"他意识到，她在有意激怒他，这是她后来为了让他主动起来而经常使用的一招，虽然回想起来，那就像不停地对一具尸体进行心脏起搏手术，试图用这种物理刺激来引发他微弱的反应。

她也不相信K没收到信，对他的解释嗤之以鼻，认为不过是为自己的新罪行所找的拙劣辩词，因为信没有退回就是明证。可是崇明中学那时高一有九个班，但凡只写"高一"而不标注哪个班的都无法投入班级信箱，只是插在窗前任人挑选。说不定她只是上一封信有意选了一张特别的邮票，而被哪个集邮爱好者拿走了。

话说到这里，K 觉得已很难把对话进行下去，每次他发现对方无法理性讨论时都会感到一阵烦躁，但此时只感到深深的绝望。其实信寄出就知道自己写错了，"请你原谅"，而她是不会原谅的。那是不容讨论的判决，抗辩只表明无意认罪。他感到一阵深切的羞辱，心和四肢都慢慢冷却下来，仿佛一名走出掩体投降的士兵仍然被射杀一样。浑身的情绪澎湃，在早春的夜风中四处冲突，犹如整个水库仅凭一个软木塞堵住。

在事件爆发之际，他还曾幻想这或许是个可以解释的小错误，随即由于自卑而放弃；当他终于鼓起勇气试图在信中表达"你听我解释时"，发现更糟的并不是"我不要听"，而是解释的努力进一步加大了错误。这使他陷入一种进退两难的境地：说话可能错，但不说则是更大的错，并且也无法从过去的错误中学会如何避免错误。他甚至无法辩解那只是因为一次偶然、因为可笑可悲的不会骑自行车这个缘故。但是没有偶然。曾经在美国驻莫斯科大使馆工作的 CIA 间谍制定过所谓的"莫斯科守则"："一次是偶然，两次是偶然的一致，三次就是预谋。"但是在这里，一次就足够了，一次就是预谋。直到他们各自生儿育女，才能成熟地面对这种技术故障：那次她说发了八条短信给他，但由于遭遇不可预期的手机黑屏，他竟连一条也没收到。他请她重发一次，以缓解自己可能遭受误解的焦虑，但她平静地拒绝了。

100

他身体里那种急于辩解的冲动退潮下去，随即又忧虑这会是更大的过错，他足以感受到，她要的不是他的辩解，而是认罪。这在他的心里深深种下了一种无所不在的罪恶感，他觉得自己不配她，让他感到自己从她生活中彻底消失可能才是对她最好的，最好能有人迅速取代他之前的位置。而她，也像一块河水环绕的石头，对任何辩解都无动于衷。辩解、反驳都徒然使她不快。他想谅解她，但这个念头一旦冒起又觉得很可笑，因为自己丝毫没有资格。不仅如此，还有一阵新的恐惧涌来：那时他清醒地意识到，仅有自身所坚持的单向度认罪和某种强烈愿望，仍然是远远不够的。

他坐在桌前捏掉了许多纸团，带着船被凿沉时的那种凄凉的镇定试图写回信，但又抱有那种沉船之际却依然无法盼望到海平面上救援船只出现而加倍痛苦的焦虑。有许多信最终也无法寄出，以至于最后落到纸上变成可笑的自言自语。这就像是某种信息流单向函数：信息只能自由地往一个方向流动，只是不能抵达。那甚至还不如回旋镖。在失败之后如何正确而体面地保持沉默，以及何时该说什么话，这一门艰难而微妙的技艺他永远也未能学会。

他第一次意识到，原先将他们维系在一起的，并不是相互理解。就算有"理解"存在，那也是单向度的。在经历了另一段恋情、结婚生子之后，他才在年过而立之后明白了这一点：对女孩子，至少是许燕如这样的女孩子来说，潜在的律令是"只有完全接受，才能理解"，其中蕴含着某种神秘性；而他自己出于一种顽固而不自觉的理性主义，则一贯坚持"只有完全理解，才能接受"的原则。那就是他们自己版本的二律背反。

二

有一段时间，章承感觉自己就像是一颗被自己的恒星抛弃的行星，在丧失了那种相互作用的轴承关系之后，有某种脱离引力轨道的空荡荡感，由于这种骤然之间的断绝联系，之前约束自己的引力消失而一时无法找到自己的相对位置，只能试图自我固定下来，然而还是上不着天，下不着地。

在混混沌沌做着各种无害的白日梦的时光中，那些遥远的星际会比日常生活更真实可感。他好像刚刚寄居到一个陌生的星球，陷入一种难以言说的处境：他是这样一个演员，在第一幕的演出失败之后，陷入不知道如何继续第二幕即兴发挥的沮丧之中而不可自拔。过度频繁的内心活动使他在外表上看上去极其木讷。

陆薇薇那时心情也有点低沉，自从考入三烈中学之后，她似乎总也摆脱不了那种难以振作的情绪。和初中的生活不同，高中完全围绕着"考上大学"来组织一切节奏，那种紧张感潜伏在所有角落，就像埋入一匹布中的丝线。在这岛上，能考上崇明中学和民本中学这两所重点的人，和其他普通高中的替补队员之间形成截然的鸿沟，后者自己也早早放弃了希望。她偶尔写信给章承讨教一些问题，但实际上问题太多，写信很快变成不是谈论具体问题，而只是在倾诉挫败感；她来信感谢他的帮助，虽然事实上他觉得自己并没有帮到什么。她有次在信上末尾写了李清照那句"寻寻觅觅，冷冷清清，凄凄惨惨戚戚"，向他征下联；他以一种鼓舞学友的口吻在回信上对以"岁岁年年，风风雨雨，步步从从容容"。虽然并不十分工整，但已足够倾倒高一女生，她转给班上最要好的朋友蒋春雨看。她在信上说，蒋春雨对此激赏不已，想和你交笔友，可以吗？

他一直没回陆薇薇的信。在新遭到一轮饱和性轰炸的惨烈打击之后，他对一切都意味索然，虽然勉力鼓舞别人"步步从从容容"，但实际上"凄凄惨惨戚戚"才是他自身心境的真实写照——他旋即又觉得少年人的这种伤感情绪十分可笑，然而更可笑的是自己竟然连这样的可笑情绪也摆脱不了。尽管他能感觉到她试图理解他，但他那时对于被人理解这件事并无多大兴趣。的确是这样，他那时霍然发现，之前自己甚至也从未为了让许燕如来理解自己而付出过任何努力。拖延了两三周后，他终于回了一封信给她，说自己无意交笔友，不知为什么，竟然也说了自己和许燕如的事，并以此解释现在自己什么事都打不起精神，就像一个才华和激情都已消逝的作家，再也无法从自己以往的创伤中汲取创作灵感。他甚至以一种少年人不知羞耻的夸张语调说，在他的主观感受中，仿佛自己短暂的一生已经终结，现在过的已是下辈子的生活。

终于收到陆薇薇的又一封来信，第一次的埋怨。信纸揉得很皱，班级也写错了，成了"高一（2）班"——那是她自己所在的班级。她骂他愚蠢，说他从第一封信起便似乎都是她的强迫，说他"委婉而坚忍不拔地拒绝"她。她说，你事实上觉得，过去比现在更重要，而且也决定着现在，"所以你想要找一个没有过去的人？"她把自己的关切埋藏在无情嘲笑下，她说，你就像一个热气球驾驶员，在失控下坠时仍不愿意丢掉舱里的东西，甚至觉得这种下坠是一种危险而愉快的感受。她说，对我而言，过往就像某种旧食物的味道，不能忍受太久，想到要在某个充满回忆的屋子里度过，我就受不了——和你比起来，或许我是温室里的花朵，你或许以为这是只顾自己感受的想法，然而，这并没有什么错，你迟早会发现，过多顾及别人感受而忽视自己感受是更大的错。

他不知道该说什么，也就没有回信，虽然他心底里对她有一份感激，但他惯于把对熟人的感激埋藏在心底里。他自然知道她的痛骂只是出于好意，然而由于识破了这一点，那并没有让他脱离留恋已久的泥坑——事情就是这样，泥坑固然是泥坑，甚或嘴上乃至心里都想摆脱它，但实际上待久了却很让人上瘾。

由于陆薇薇是唯一经常给他写信的女生，这在穷极无聊而又没有秘密可言的男生宿舍里随即变成新闻。按照默认的规则，每个人都要老实交代自己初中时代的绯闻女友，以供大家哄笑。章承从未供出许燕如的存在，但无法否认陆薇薇给他写信这一事实，他只是在当他们捕风捉影、添油加醋地杜撰陆薇薇和他的秘密情缘时不加任何分辩，只在他们的再三拷问下才像挤牙膏一样挤出一些基本信息：她曾是班长、温文有礼、初中时和他是前后桌。虽然他从未出示初中的照片，但这也未能阻止他们把陆薇薇描绘成一个知书达礼的天仙。

关于这些事，赵震是他唯一能征询意见的对象。在男生粗鲁的哄笑中，赵震也是唯一不会参与的人。有时，章承甚至会把陆薇薇的信拿给他看——这固然是出于信任，但也是一种自我洗刷的表示，尽管这不无卑鄙：以公开秘密的方式表明两人之间并没有不清白的地方。二十年后，在赵震留下的遗物中，他才明白这意味着什么：他的少年知交尽管觉得这有侵犯他人隐私之嫌而"不太好"，但他难以克制想要更多了解她的冲动，还是读了一封又一封。在同学们的哄笑声和来信的阅读中，他把自己的初恋献给了这个迄今从未谋面，也永远不会知道这份感情的女孩子。这一点，尽管他曾和章承委婉说过，但章承一直只是将信将疑，从未确证，因为这看起来委实太过不可思议，而发生在赵震这样一个拥有强大头脑的人身上，就更不可思议了。

周末的下午，赵震第一次去章承家。晚饭后，两人去东城散步，看到陆薇薇家的阳台。微黄的灯光亮着，窗帘上隐隐的似有少女的剪影。他说着自己在初中时曾每天在这里经过，对这个阳台上的四季花卉都有印象，但从未上去过。他叹了一口气说，其实他也知道，就算最可怕的事情也可以被忘记。他在这里说的是许燕如的事，但他的朋友想到的则是自己这段注定不会有结果的暗恋。

许燕如来到上海已有半年多时间了。与小镇上的生活相比，她还是更习惯这里的生活。只是有时有一种被缠绕的感觉：在很长一段时间内，她每天都在一个陌生城镇的陌生房间的陌生床上醒来；就像一艘船，在海洋里漂泊多年，那些被称为家的地方，只是停泊得稍久一点的港湾，但你心里知道那是临时的，就算找到了一个家，也总怀疑那并不是最终的地方。**最终的也许只有坟墓。**至于母亲，她开始相信她只是去了一个陌生而遥远的地方，的确非常遥远，毕竟没有人能从那里回来。

母亲五年治病，这个小家庭已囊空如洗，为了生计，父亲远到南汇去谋一份报酬略为丰厚的工作，把她寄托在姑妈家里，而哥哥在同济上学，一家人仍分作三处。仿佛人生的又一幕戏开始了，一切都要从头适应。在某些时候，她只能通过回想暂时忘却眼下的难处。那像是一个避难所。**那时没有人注意到我的绝望。而这是最令人绝望的。**

每次见面，她也注意到了父亲的孤独和凄凉，这样一个高大的男人，被迫在年近半百之际输光了所有，重新开始生活，这使得她都不敢去搅扰他偶尔沉浸在自我世界中的那种哀伤。虽然亡妻仍以往事和债务的形式不断提醒着自己的存在，但由于不必再承担丈夫的角色，他把全身心都放在了养家糊口上，有时甚至顾不上照顾一双儿女的心情，仿佛他们都到了自我照料的年龄。有时她也会既安慰又不无怨恨地闪过一丝念头：母亲的死，对父亲而言或许是一种解脱。在父亲身上，她看到章承的影子。

和别的孩子不同，她的世界并不只由眼前的事物组成。对许多人来说，那些事件在发生之后就烟消云散了，但对她来说却是像石头一样坚实的存在。那座横亘在头脑中的岛屿，阴暗龌龊的小城，街巷里半夜瘆人的狗叫声，充满不愉快的记忆。她记得那个巷口的哨兵，在冬天忠实地等着自己一起上学，尽管他在路上沉闷不语到使她几次都忍不住吹口哨来缓解一下气氛。有时她觉得，他能陪伴自己那段时光，她已心满意足，不可否认他在这一段人生旅程中做得不错；但另一方面，她无法原谅他没有和自己一起联手对抗世上的其余所有人，尤其是除了父亲之外的所有成人。

由于母亲的病，她过早地意识到所有的人都是残忍的。但她不能容忍章承也是。章承。一个不爱运动也不会打架的男孩。他看起来只是努力使自己不引人注目。他所需要的东西很少，以至于她有时忍不住想，自己在他的生活中是否也是基本必需品。但长久以来，他逐渐变成了一个熟悉的景观，以至于后来无法从那种以照片形式呈现的回忆中擦掉。

如果说以前她觉得他的沉默寡言是某种具有安全感的吸引力，那么现在则将之视为某种不愿意行动的消极性。在那时，她有把握自己即便是精神错乱也有人能理解。在那个比别人都短暂的少女时代，她内心滋长出一种终生无法治愈也无从补偿的浪漫情结，她并不蔑视那种日常生活的气息，但她不能忍受只有这些。她真诚地幻想过，章承能够像屏障一样阻挡着外部世界的浪潮，而自己则愿意乖乖地在这里。

无论如何，她做出了那个迄今为止代价最高昂的决定。少年都是多疑的，一想到这一点她也能原谅自己；她需要的是不求任何回报的情感付出，她认为那是不言自明的。哪怕仅仅是某种不光彩的捏造。他的怯懦使她所有的愤怒都找到了目标和出口，从而把一束高强度的聚光灯打在他头顶，不公平地要他承受所有的炼狱之火。尽管她也想过和缓，她掌握着所有的钥匙，但局势就像向下俯冲时无法停顿，此时施以援手有损于她的尊严。她需要安抚，像以往那样，但出于自尊心，她永远不能再主动提起这个要求，那将是难以忍受的可耻和屈辱，遭到自己本能的抗拒。她指望他能主动想到这一点。她坚持想要比他更好。

她在那边总觉寄人篱下，住得时间长了，就是亲戚也会生出嫌隙，而她绝不是第一次遭遇这样的体验。她只有在学校里才读得进书，为了少让人觉得麻烦，有时就故意独自在街上游荡到很晚。在街上能看到远比之前在崇明的小县城里丰富得多的景象，然而所有那些动感或变化，看起来又都显得千篇一律，且与自己无关，不能激发起任何幸福感，就仿佛只是一群忙忙碌碌的昆虫，而自己并不清楚它们在忙什么。她回到家里就不再说话，仿佛一个疲惫一天的工人，一个人在房间里更不知道该说什么。感觉像是被禁锢在这里，靠着一盏纸袋里的灯度过夜晚剩余的时光，照着一个模模糊糊的彼岸世界，而中间是大海无尽的泡沫。她只有在梦中可以得到慰藉。在最孤独的时候，她甚至想过求助于通灵术。

没有多少泪可流。流泪也从来不是她应对灾难的办法，在母亲的葬礼上，她固执地不肯落泪，引发了许多亲朋的非议，觉得她是个心肠铁硬的女孩子，她则以内心的冷笑来面对这些指责，因为她正是不愿落泪给这些人看。无论如何，学会掩盖自己的情绪，这对她而言是一种必备的生存技能——这么说既不是指责，也不是赞扬，只是一种客观描述。

在独自面对的这片大沙漠中，唯有孙正宇是差堪慰藉的熟悉景观。他虽然也在读书，但多出来的两年年纪，以及中专所学科目的实用性，都使得他更像一个"踏上社会的人"。然而她还是小心翼翼地不让他踏入太近的内圈，虽然没有任何约定，她却为章承保持着神秘的忠贞。她由于太年轻而并未意识到，在他俩的相处中，一种类似于泡利不相容原理的状况已经出现：在这一相处模式中，不能有两个人处于完全相同的状态，因而再难回到原先那种轴承式相互围绕的运转了。

早春时分回岛，虽然心里隐隐盼望着章承能发现她的踪迹，但她的自尊心不容许自己去找他。她渐渐丧失了与那座岛屿的联系，而章承则是这座岛屿的化身，他本身就是一座岛屿。见到钱老师，与其说是为了见老师，不如说是为了打听他的消息。两人之间就像遥远的风筝，只靠一根纤细的丝线维持着若有若无的控制，随时可能消失在一阵风中。但她那时没想过这样的问题，她认为距离从来不是问题。其实她也不清楚她希望章承做什么，但固执地不肯放过他。在这里，就在此刻，四周就只一片沼泽。她想起那些微火一般亮起的时光，那些只属于她自己，因而在事实上证明着自己的存在感，在当时并没有想到，那样的场景带有某种自我毁灭的种子。

K生日那天收到了许燕如的第二封来信。没有称呼也没有署名，只有短短一段气鼓鼓的话："文采好，也许是好事。但用来损人、训人好像并不是一件好事。信我都收到了，我也曾想回信，但我没忘记上次的教训：好意写了一封信，被人训了一通。不知是不是你生日，先送上再说，如晚了，我抱歉，如早了，你搁几天好了。"

在僻静的假山凉亭里，他只花了一分钟就看完了这段话。外面淅淅沥沥地下起雨来，感觉自己又一次像去年夏天那场暴雨一样，被浇了一盆冷水。母亲曾说过，之前每年他生日都天气晴朗，今年不知为什么。他到小树林里站了半小时，仿佛这是一个自我净化的仪式。借助于雨水的阴凉，他平静下来竭力回忆了一下三四周前自己那封信的内容，确信自己并未想要损人、训人，应该只是声辩了一番自己并不是"妈妈的乖儿子"和书呆子，或许激烈地宣称了自己如果在上海一定会去看她，并因此抱怨了她如此小看他。可以肯定，他不是想要得罪她，他既没有资格，也没有必要，更没有理由。那甚至也谈不上是自发的冲动，相反，那封看起来字词略微激烈的信，是他字斟句酌写成的，因为他误以为，她上一封信那样写，正是为了通过辱骂他来激起他的反抗、主动性与男性气概。

他自此陷入了一种不知如何理解她的困境之中。与那些可以由公式推算的星球轨迹不同，许燕如的脾气似乎是一种难以预测的不规则运动，按照他自发的第一反应来回应固然常常出错，但如果是按他以为她所是的样子来回应，往往同样灰头土脸，甚至被迎头痛击。由于男性在情商发育上的相对迟缓，两人之间在这方面拉开了不可弥补的差距。他那时看了大量的诗歌、散文、小说和心理学书籍，但仍然找不到能合适表达自己感受的文字。他此时明确意识到，两人在之前两三年里的相处模式已完全失效了，现在面临的则是一个全新的棘手挑战。他原本喜欢她强烈的自尊心，但如今，这成了两人之间莫大的障碍：她不能忍受任何劣势，这是他即便谦让到底，她也不能心甘情愿的，因为她知道是他在容让；更麻烦的是，如果他真的在事实上处于劣势，情况也会一样糟糕。

三天后，他接到一封奇怪的来信，署名孙砚红，寄自通川中学，自称是许燕如的朋友，信上说，"很抱歉，我翻阅了你写给燕子的信。人的一生，很多努力，最后可能是一场徒劳的无谓。须忍受痛苦，要想着希望。痛定之后，才知道世上没有过不去的事。"他反复看了三遍，由起初自己信件被人翻阅的不快（如果是许燕如授权，那就更令人不快了），转向对这一宣称要交笔友的善意动机的怀疑，甚至根本怀疑这个琼瑶风格的名字就是个假名。

吃完晚饭后，K靠墙休息会儿，忽然听见有人影在窗口一晃，说了声："表舅，舅妈，我走了。"母亲匆忙起身："走了吗？进来坐会儿吧。""不了。"他不经意间回头，看见朦朦胧胧一张笑脸，一件鹅黄的衣衫。那是个女孩子，声音似乎很熟悉，但想不起是谁。

"刚才那是谁？"他问母亲。

"燕子呀，这几天他们学校春游，她一个人回来看看，这孩子倒很懂事。那时她在葬礼上不哭，好多人还觉得这孩子心肠硬，其实……"

后面的话 K 没听进去，他心里只是回荡一个声音：天，我怎么认不出她了。"我得去找她，"他上楼简单收拾了下，说，"我有件事要问她。"母亲放下正在洗的碗筷，一脸讶异："你去干吗？她刚才说要去同学家，她街上的房子也早就不住了。""我得去找她。"他简单地重复了一句。

院子里的风很冷，初夏的季节竟然还有这样的倒春寒。她并没有把这个旧院落退租。已有大半年没见到她。进了屋，看见她正在和几个女孩子说话。那一瞬间，他几乎难以自制地要落下泪来。她侧过头，像是发现了某个探测气球。直到这时，K 才第一次惊讶地注意到她的容貌，那是他在之前不曾在意的，不只是因为那时不敢盯着她看，也因为他从未觉得这有什么重要。她理了短发，脸圆圆的，眼神里带着几分倔强和讥诮的意味。她说话中夹杂着越来越多的上海话和普通话，仔细一想，她原本从小也是在这样的语言环境下长大的，但这还是让他感到一阵陌生。虽然他也曾听许多人说过上海话，但第一次听她讲，却感到一阵奇怪的难以理解，以至于这种语言的发音本身就带来了一种陌生而不真实的感觉，一如她本人。看到她说话，他第一次注意到，她从胸腔里发出这样清晰悦耳的声音，仿佛内置有某个神奇的共鸣器。她笑吟吟看着他，仿佛什么事也没发生过，至于几天前那封声色俱厉的信，毫无疑问更不是出自她的手笔。

她在和女生的交谈中，看似不经意地瞥了他几眼，也并不招呼他坐下。由于夜色的掩映，使得眼睛这个他原本唯一流露心事的身体器官也看不大分明了。她看到他尽力做出一副自如的样子，随即意识到他像一面镜子，照出自己也在无声地做着同样的努力。

他们都很平静，无话可说。K本以为遇见她会有千言万语，但一腔热潮只旋入深潭。他们的神情，就像两个国家的外交官回到他们打了五年战争的废墟上重开谈判。两人小心翼翼地隔开一点距离，尽管以前也隔开，但那时是因为礼节和拘束，现在却像是躲避会传染的麻疹；已经是两个独立运作的星体，在阻滞介质中运动。他及时涌起一阵难以吞咽的不适感，胃里甚至有一阵奇怪的饥饿感。带着可怕的沉默，他发现自己和陆薇薇相处时的沉默是平静的，但这里则是可怕的，带着某种静坐战时那种误导人的平静，仿佛一出难挨的戏剧迟迟不肯落幕。这里沉默是一种指责，但自己的沉默又算是什么呢？那好像也是一种抗拒——当相见日少的故人试图通过你的言辞来确定你仍与他们设想中的模样相符时，却拒绝给他们这样验证的机会。他们似乎已经进入一种漫长的休战期，仿佛陷入一场僵局。他有时觉得自己像某种植物，而且渴望着某种东西——甚至痛苦——来刺戳他，给他带来生机。[1]

老屋里聚了七八个女孩子一起讲笑话，叙别情。在K听来只是一片音频差不多的叽叽喳喳声，话题漫无边际，配合以那个年纪的女生略微夸张的肢体动作，就消耗能量而言可算得是她们

---

1. 引自约翰·威廉斯的长篇小说《斯通纳》。

的剧烈运动。

在她似乎漫不经心地问起"收到我的信了吗"时，他心里一凛，这对他而言是牵涉重大的外交问题。不过他自作多情了，她并不是在问他，而是在侧头嬉笑着询问身旁的初中同班女生。但没有。因为她只写了"高一年级"。K此时终于抓住时机打响了今晚的第一枪："你为什么不写明是高一（3）班?"她看看K，没说什么。在他眼里，她毫无疑义地站在舞台中心，接受众人的瞩目，像是流放归来的女王，被众多闻讯赶来的朝拜者围绕。而他，依然作为一个未受赦免的囚犯，在台阶下接受严酷的逼视。只是他此时终于找到机会说"不"，并有望借此证明一点自己的清白，便像一个埋伏了七天七夜的狙击手，终于难以压抑住自己的激动而跃出弹坑，将自己所有的子弹都打了出去。她静静看着他，仿佛那是一个仅仅是出于礼貌才没被赶下台的演员。她发现他变得能从容地接受打击，这是她第一次发现他的反抗迹象。

她们还要去聚会，考虑到他是在场唯一的且不是她们班级的男生，许燕如说："我们女生的聚会，你要一起来吗?"这听起来既像是邀请，又像是拒绝，取决于你认为她这句话的重心是在前半句还是后半句。他摇了摇头，就算要聚会，他也并不期望和一堆人一起。她像个知趣而好客的女主人一样说："那我送送你。"

天上的星星很亮，在初夏的夜空里看起来像是打碎后镶嵌在那里的冰凌。两人出门时，不知为何，他一度想要去拉她的手，这真是个奇怪的念头，他想，即便是在之前，他也从未有过这样的冲动。在只剩两个人的珍贵时刻，他及时地为上次信上可能的冒犯道歉："你知道，我是个不善于应答的人。"这句话既像是恳求，又像是试探，有点含糊不清，就像是用腹语说出来的，而她确信如果他会手语，甚至会用手语来表达。她脸上没什么表情变化，仿佛只是平静地等待他那句话的烟雾在空气中飘散之后再发射，她说："然而你也不善于提问。"他有几分莫名其妙。

为了打破僵局，他终于问了一个自己关心的问题："你是不是把我的信给同学看过？很奇怪，我收到你一个女同学孙砚红的来信，说要和我交笔友。"她看了他一眼，嘴角有一丝诡异的笑容。他停顿下来，惊恐地想到，自己是否又说错了什么。但她只是缓缓摇了摇头说："没有，我没给她看过你的信。我不知道是怎么回事。如果你不愿意，那就不用理她。"

他想说，我们重新开始吧，随即意识到这是一句蠢话，因为那些事并不肯过去，仿佛是横亘在两人之间的一条十公里宽的冰河，并不会因为他吐出这句具有魔力的咒语，而一下子干枯见底。他自我安慰地想，在物理上，火焰最内层的焰心因为供氧不足而最冷，就此而言，即便今晚许燕如对待他犹如冬天里的一把火，也是不能乐观的。

以前在一起，他觉得沉默是自在的，她也觉得；后来，他觉得自在，但她觉得不自在；现在，两人都觉得不自在。他沮丧地发现两人分开之后他才感觉呼吸顺畅起来。在快到家时，他在河桥上出了一会儿神。他认为已过去了极其漫长的时光，结果惊讶地发现手表的指针只过去了二十二分钟。这就像一个时光旅行中的人，当他以光速旅行时，时间变慢了。回到家里，他甚至有足够理由观察父母在他离开期间是否加速变老了。

三

他没有给陆薇薇回信，整个春夏，都一片沉寂。而她，在追了两封未得到答复的信件之后，也知趣而有自尊地保持了平静。有一次，他在街上还遇到了她，穿着一身胭脂色的外套，骑着一辆女式凤凰自行车，从北门路的梧桐树荫下掠过，在相认出来的那一瞬间，两人矜持地点头，但没有打招呼，她迟疑了一下，没有停车。

有一个周末的下午，他想去江边的大堤上发一阵呆。就是那种无理由的发呆，往往要发呆上一阵，才明白自己是为了什么而发呆。他拣了一条偏僻的土路一直走过去，高堤下深沉的水杉树林在秋风中发出瑟瑟声响，与江水重浊的低音相混，与他的脉搏产生共振。他两眼逡巡了一下眼前这个荒凉的河滩，仿佛它们昨晚刚从长江中淤涨出水面，远远地忽然看到一个穿着鹅黄色毛衣的女孩子在江边，不知是要玩水还是跳江。他在差点惊呼喝止她的一刹那，才发现那是陆薇薇，但一声"喂"已经呼喊出来，抵达她的耳畔。她回过头来，露出惊异的神色，继而避开他眼光的直射，看着他身后，他莫名地一回头，这才回过神来问："你在等人？"她微微一笑："没有。"

他问："你怎么想起来江边走走？"

她笑："应该和你的原因差不多吧。"

他笑笑不说。不可能一样。因为他来江边是为了在这里眺望对岸，那个影影绰绰如海市蜃楼般的城市——上海，让他想起许燕如也已如此可望而不可即。由于地球表面的曲线，对岸这个宏大迷宫的大部分轮廓已经看不见了。这就像是一个隐喻，预示着许燕如在他的生活中，逐渐变成了一个不可见实体。虽然他笃信超距作用的存在，但他也绝望地意识到，物体之间的引力永远遵循着牛顿的平方反比定律：无论是行星还是卵石，两个物体之间的吸引力都和它们之间距离的平方成反比。

陆薇薇似乎没有注意到他的心不在焉，又或者为了避免冷场，说起自己在三烈中学的无聊时光，班上大多数人只是混混日子而已，课堂上永远不会有热烈气氛，"我本来就懒散，在那里更懒散了，在篮球场边看男生打球也许是唯一的娱乐。你体育课上练篮球吗？"她问。"不，我踢足球后卫。"他说。她"嗯"了一声，又说："说实话，我对自己班级仍没感情，我在初中时不是这样的。"

他顺着这个话题，道出了自己埋藏已久的困惑："其实我一直不知道，初三最后半年你为什么转学。好像忽然失踪了一样。"她低下头，撇了下嘴："无非是我爸妈的看法。当时是走得太急了，也没和你们说过，我其实也不想，但我爸妈说转学过去更有利于我考个师范，但最后看来也没什么用。至于到绿华中学，是因为我小时候就在那边长大的，五年级才跟着爸妈工作调动而借读到百子庵小学。"

原来是和许燕如同一年出现在他生活里的，可是他之前从未意识到这一点。另一颗哈雷彗星。

此时他终于缓过神来说，对不起，上次我信上那样写。她摇摇头："不用再说这个了，你有你的想法，我怎么能强求呢？"她似乎略犹豫了下，但终于像下定了什么决心似的说："你说到你的心情，我不知怎么去明白，更不知如何去体会，也许生活无味了，便似乎死了，但不必说味道如何，总该是有味道的。你本该走出来的。"

过了一会儿，她问："章承，你那时为什么会给我写那封信？""哪封？""你不记得了吗？就是……我那时转学了，你写信来和我说，陈铮不是个真诚的人，叫我不要和他继续交往。"

他顿时面红耳赤。想起来了，自己的确是在得知她转学的消息后，写过那么一封短信，一本正经地建议她还是要多了解下陈铮。那一瞬间他也恍然大悟，去年夏天在街上邂逅，她说的"谢谢你"原来是这个意思。他没想到她会当面提及此事，一时羞愧难当："真是不好意思，我那时太认真了，其实这是你们的私事，我也不知为何要这样多管闲事。"他以看似谦卑来轻描淡写，那何止是"多管闲事"而已，实际上，同样的行为，也完全可以用"阴险卑鄙"来解释——如果从陈铮的角度来看大概就更是如此了。

他顿了一顿，又说："说起来，去年上了中专，陈铮还曾来信和我说起自己读不进书，我坦率地批评了他不够专注等习气。"她笑着问："有效果吗？"他苦笑了下："效果就是：他自此再没给我写信。"

她忍不住笑出声来。他坐在大堤上，看着茫茫水面，自嘲地说："几个月前，我在期末考之后回家，遇到唐老师，他不客气地察看我的成绩册，看到我们现在高中班主任给我的评语第一句是'该生诚实正直'，他冷笑一声说：'诚实正直？你们高中班主任不了解你啊。'他还记得我在初一初二时叛逆过，在他课上故意不守纪律。可有时我又觉得自己好像太正直了，你是怎么看我的？"

她抿嘴笑笑，说："我一向认为你正直得到了令人讨厌的地步。"

K收到了陆薇薇的来信。她向他坦白了许多苦闷，那种早早丧失了希望的内心。她说，如果你身处我的心境，你会明白我的所为。在这无望的生活里，我想有一份感情可以提供必要的支撑，是的，我从高一的第二学期就有了男友，只是家里从来不知道。我所述的他与我不同班，所有他的事很难一一说清。他篮球打得极好。章承，我很感激你。希望你做我的诤友。我是个软弱的人，而你是能推动我的那个人。

他也真的以他那种令人讨厌的正直在回信中列举了他所知道的她的所有缺点，甚至分别说明了如何通过改善习惯去更正它们。她回信说，谢谢你真诚坦率的批评。我不会一拍桌子就把它改掉，但真的欣慰，因为当面指出的人并不多。我的进步很慢，以此，我对自己的前途和未来开始寒心起来。实在有很多事让我觉得力不从心，关于周重，也许在你面前不该谈这些，但我们都属于初三那一战失利后进入非重点中学的不幸者。我和周重都失去了太多本该属于我们的一切，现在的路有风有雨，却没有阳光，然而我们还在执着地走着，这是我们的可悲。

不知为何，章承第一次萌生了想去陆薇薇家的念头。之前虽然曾提起过想要向她借阅新教材，但从未付诸行动。他一直知道她住在这里，不过仅限于看到那个有花的阳台罢了。在那一天，小阳春的空气里涌动着一些乍暖还寒的气息，高楼的墙阴里长着薜荔，墙上爬山虎已顺着落水管爬到了五楼。他在楼下平静了一下情绪，才慢慢往二楼走去。

那种老式居民楼的楼道颇为漫长和阴暗，感觉就像是屏住呼吸在隧道里穿行了许久，他定了定神，敲响了202室的房门——虽然离约定的时间还有五分钟，但他料想应该不至于太唐突，何况他一时之间也不知道还能去哪个不引人注目的角落里熬过这五分钟。

开门的是她爸爸，满脸诧异地看着这个陌生的少年："你找谁？"他迟疑了一下问："陆薇薇在吗？"听到他的声音，她在里面应了一声，放下筷子，从父亲背后抢出来，一边从鞋柜里取出弟弟的拖鞋给他换鞋，一边解释说刚从学校回来，还没吃完午饭。

他做出若无其事的样子，到她的房间里去坐等。房间很大，两个书柜被柜顶上垂下的日本吊兰叶子遮住，但仍然能看出里面摆放的书略有几分凌乱，铺着织锦桌布的小圆桌上还有一摞翻开的教科书。窗台上养着一盆栀子花，花期早已过去，但不知为何，房间里还带着几分花朵萎谢的气息。墙上的相框里则挂着一张镶嵌好的植物叶脉标本，以及不知在哪一处海边拍的大幅照片。墙角有一个落地镜，在那里他刚好能看到自己。

端详未久，她走了进来。"你吃完了？"他问。"吃完了，"她笑笑，"碗筷就放水池里，等会儿让我妈洗吧。"

他转开目光，看到书架旁的水瓶里插着几枝桂花，提出一个善意的建议："你下次可以把剪下的花枝根部烧焦，这样可以存活久一点。"她淡淡一笑："不关事，反正迟早要谢的。"她看到他环顾四周的目光，补了句，"其实我也用不着这么大的地方。"

他指着墙边的一架旧钢琴说："你还会弹钢琴？真是深藏不露。"她做了个鬼脸："只能深藏，露出来就是马脚了。"他笑起来。她顿了下，又接了句："我妈曾想培养我，现在大概也放弃了，只要我学业好，钢琴课也不来督促了，你看琴盖上都积灰了。"

说到学业，她再度抱怨新教材不好——老师们也用惯了老教材，教起来不适应，时常会插进来讲老教材更深、更好；现在的新教材辅助的选修课所学的也太肤浅，往往点到为止。蒋春雨本来以为进了三烈，试点新教材就可以不用背政治了，结果现在也叫苦不迭。新教材改革不仅没有减轻他们的负担，反倒迫使他们要把新老两套教材都得熟悉掌握才行。她曾说过想看老教材的《英语》第一册，他一下子把第一、第二册和《化学》的第二册，连同自己的笔记，都送来了，那都是高一的东西，现在也基本不需要复习了。还附赠了她一本日记本，扉页上题写着中学生所钟爱的那一类格言："一切高峰都在攀登者脚下。"尽管这是他自己想出来的——他当时无论欣赏水平还是写作水平也就到此为止。她一边低头翻阅，一边欢然说："连笔记都带来啦！"她看了他一眼，继续垂头翻书。

这么说着的时候，门口一阵锁孔转动的声音，她母亲回来了。一进门就说："哎哟，薇薇，你又不洗碗！"章承站起来探身叫了声"阿姨"，陆薇薇也镇定地站起来说："妈，我有同学在。章承第一次来我们家，给我带了很多他们崇明中学的教材和笔记。"她话还未说完，章承已看到她母亲脸上起了明显的变化，一时转怒为喜，埋怨女儿："有客人在，你怎么那么不懂礼貌，也不拿水果点心出来？""我刚吃完饭嘛。""这不是你自己想不想吃的问题啊，这孩子真是。"

她转身又去了厨房，一会儿工夫，像变魔法一样端出来种种茶点：又是汤又是茶，又是橘子又是梨。她说早就听说章承了，那时东城中学总共也没几个人能直升崇明中学，陆薇薇现在学校普通，自己又疏懒，自律不强，可得好好加把劲才行。他感到有几分尴尬，看到陆薇薇也垂着头，脸上挂着微笑，两人都在默默忍受这一轮仪式性的二十八响迎宾礼炮齐射尽早平息。

她母亲说了一会儿，又去忙，但稍后又端了新的点心过来，他简直有几分难以承受这番好意，何况作为一个主食爱好者，他从小就极少吃零食。点心端来的频次太高，以至于他甚至有几分怀疑这是不是她母亲礼貌的监视。过了会儿，见桌上并没有什么消耗，她母亲又催促："章承，吃啊，别客气，在这儿就跟自己家里一样。"陆薇薇撇了下嘴，似乎在质疑这句常见的客套话分明是不可能的事，毕竟一个人如果真的在第一次登门的同学家里就自来熟到把那儿当成自己家，多半立刻就会因家教有问题而被列入不受欢迎的黑名单。她又朝向女儿，以一种恨铁不成钢的感叹说："薇薇，你也该学学待人接物了。"从她的口吻中，章承能辨别出，她这句话可能至少说过一百遍。陆薇薇轻咳了一声，指指一桌的水果点心对章承说："你随意哦，不喜欢吃也不用勉强。"

他本来是想把参考书和笔记送到就走的，但此时再走反而显得不礼貌，可原先又没有为这次会面准备太多话题，而对他来说，每次会面就像正式提案和外交谈判一样，如果不事先准备话题，势必陷入无话可说的窘境，因为临场发挥一向是他的弱项。这种在父母视线之下的彬彬有礼几乎是压抑人的，为此，他只能临时充当起她的家庭教师，开始辅导她做起数理化题目来，因为那恰是她最薄弱和需要的。

她有几分近视，周末在家，连隐形眼镜也不愿佩戴，为了看清习题，不由自主地朝他倾过来，鬓发一度差点垂到他的手背上。还未碰到，他的手略略向后一缩，她明白他需要某种安全的距离感，心里感激他为自己付出的时间，因为那对他本人而言几乎没什么帮助。她也意识到他小心翼翼地确保自己不流露出什么感情，然而正是在这样缩回手的细处上，她察觉到他并非全然无动于衷，只是由于她自己也怀有的羞怯，他们从未能达到那种无拘无束相处的境地。这成了两人相处的一个缩影：两个异质物体在相衔接的区域小心翼翼地保留出一大块模糊的界面。

他还是会和赵震分享秘密。许燕如的事在几个月前他就已一五一十地告诉了这位唯一的倾诉对象，只差把她的信也摊开给他看了；而在去过陆薇薇家的那个周末下午的第二天，赵震就已得知了那天的详情，并毫不费力地从好友的脸上捕捉到他那种虽然尽力克制但还是情不自禁流露出来的喜悦，而那是他在之前整整一年多的轻度抑郁中所不曾有过的。

"唉，章承啊，"他凝视着好友的脸，做出了一个苛刻的道德判断，"你不是个专一的人。"

章承脸上的笑容霎时间无影无踪。作为一个同样有着感情洁癖的少年，他明白好友的这一严重指控意在何指。在他们那种严酷之极的道德观里，他在和许燕如的感情尚未完全明朗之际，就从与另一位女孩子的相处中感受到哪怕是一点轻微的愉悦，那都差不多构成重婚罪。你不能觉得这个也好，那个也不错。他一下子完全沉闷下来，心里感到委屈异常。对于许燕如声色俱厉宣称要断绝关系，他的确一度信以为真，对于恢复到从前那种密切关系更是悲观，但也并没有放弃为她信守忠贞的念头，然而，他也只不过是去拜访了另一位女生一次而已，更何况她有自己的男朋友——虽然这最后一点，出于自己也难以解释的原因，他并没有告诉过赵震。

在这次重击之后不久，他们又恢复了平常的讨论交流，但章承直到娶妻生子，都未忘记当初所面临的这一项指控。只不过那时他已能宽恕当时的自己，意识到在那个万物都在生长而从未定型的青春期当中，人们内心的爱慕与情感都是模糊、混乱乃至莫名其妙的。虽然那并不只是一种生理冲动，但在那个年纪就以严格的禁欲主义来竭力控制自己的生理冲动，本身就是有违人性的。

出于可以理解的原因，赵震对陆薇薇的事一向比对许燕如的事更感兴趣。两个男生有时会在一起开一些严肃的玩笑，那无伤大雅，且仅为他们两人所理解。接触多了，赵震开始意识到，章承那种一开口就谈科学与天文，恨不得把人世运作的万事万物都用物理法则扯上关系的方式，其实也具有某种"表演"的意味在里面——其实他本人也清楚这样显得很书呆子气，更明白别人会因此取笑他，不过，看来他显然认为如果这么做能逗大家笑笑，那也不失为一种社会贡献。

在一个枯寂无聊的周末下午，赵震递给他一张纸，他看到上面写着一份学术著作的纲要：

《陆薇薇论稿》，上海文艺出版社，2049 年 7 月第一版
钱钟书引言

第一章：陆薇薇小姐生平
　　第一节：陆薇薇之成长过程
　　第二节：陆氏父母对陆氏之教育
　　第三节：论陆氏之求学经历
　　第四节：论陆氏之职位变化
　　第五节：陆氏之结局

第二章：交游考兼论对其思想形成的影响

　　第一节：陆薇薇与章承之相识过程及以后长达半世纪的生活

　　第二节：再论陆氏与章承之早、中、晚期关系

　　第三节：论陆氏在婚姻自由方面之痛苦

　　第四节：论陆氏婚姻对其治学之影响

　　第五节：论陆氏对封建礼教抨击之深刻性

　　第六节：论陆氏身上体现之钱钟书《围城》内涵

第三章：思想

　　第一节：陆薇薇之思想形成过程

　　第二节：以弗洛伊德理论分析陆氏早年生活对其思想之影响

　　第三节：论陆氏世界观的矛盾之处

　　第四节：论陆氏人生观的局限性

第四章：理论贡献

　　第一节：论陆薇薇对于《红楼梦》研究的突破

　　第二节：论陆氏对于新诗的突破性创见

　　第三节：论俞平伯对陆氏的影响

　　第四节：论陆氏治学之阙失及其原因

附录

　　附一：陆薇薇编年事表

赵震后记

在那场历史性的会面之后，章承和许燕如陷入了漫长的休战期。两人的生日都已过完，以至于彼此在很长时间里都找不到理由来联系。圣诞节时他也没问候，因为作为一个农村长大的孩子，那时他还没有过洋节的习惯；她倒是寄来一张贺卡，但上面空无一字，以至于那看起来与其说是祝福和问候，倒不如说更接近于责备和怨恨——然而他也不敢去求证这一点，因为那显然又会被她反过来说是自己的好心受曲解。

除夕之夜，晚饭后已听到四周的爆竹声开始响起，他到楼上东南角自己的书房里坐定，然后熄灭了房间里所有的灯，在那里静坐片刻。忽然间，听到外面有人高声尖叫："小燕子！"听到第三声时他打开门，外面漫天星斗，在天鹅绒一般的夜空中如钻石般闪烁。

"小燕子，你爹来电话了！"他听出是她外婆的声音，"唉，这孩子，哪儿去了？"她自言自语，看到阳台上的少年，问："阿承，是在你这儿吗？"

"不，她不在这里。"

她果然回来了。不知何故，他一下想起课本上朱自清散文《匆匆》里的句子："燕子去了，有再来的时候……我们的日子为什么一去不复返了呢？"

他这次没有激动地追出去，甚至没有去她外婆家守着，只是去了老街上，像是去凭吊。那院子里挂着一把积满尘灰的锁。其实知道她不会回来这里。他想起刻舟求剑的故事：你坐船经过一片时间的水面，你的剑掉了下去，你把那落点刻在船舷上，你以为它会一直在那里，你继续往前，你徒劳地以为还能从船舷外的水面下找到它。

她始终没有来找他，而当他去找钱老师时，她已登船离岛而去。钱老师颇有几分叹惋："许燕如寒假是回来过，但她说不想见你。'别再提他了，钱老师。'她是这么说的。唉，不是我说你呀，你怎么没一点行动呢？自控能力太强了也不好，何妨见见面，儿时的朋友嘛。"

她一边在那倒茶水，一边说："你在燕子心目中毕竟占着很大空间的。我给她看了你初二时的求情信，她毕竟是感动的。你说她几次回岛，和舅母又有矛盾，谁知她回来的部分原因是不是为了你呢？尽管去年她说：'钱老师，你跟章承说，我们不谈了，结束了。'那也是气话。她对我说，你变了，沉默了些，城府很深。我笑了笑，心里说，你城府也不浅。"

是这样，她不动声色。他在自己心里默默赞同地补上一句。

"她离开时说不想讨论以往的事了，说想平静一年，静静读书。她说如果你真的一如既往，那上了大学，到了上海，会有行动和语言表达出来。但她又总觉得你过不了父母这一关，举出许多例子说你是孝子，不可能反抗决裂。"

他承认，自己在她面前总是失去常态而拘谨异常，"我就是这样，初中时也这样。但她这样看轻我，也伤我的自尊。我不知道她指望我和父母怎样决裂？这两件事矛盾吗？算了，随她怎么想吧，我也不抱什么幻想了，上大学后再说吧。"

"她觉得对你很失望，觉得你从来没有什么明确的表示。"

他变得极度冲动起来，脱口而出："啊，那次的确是我的错。可是，毕竟我在此之前与在此之后都没有一件对不起她的事，她那么长时间的冷冰冰，我受不了。我没有说过诸如'我错了，你也惩罚了我，那我们从此各走各的路'这样的话；我也没回骂过她，当然我也没资格；然而我只要写得稍有不慎，她便大加曲解，而她每次都那么硬邦邦地顶回来，我又说过什么？我知道不能苛责她，她活得本已太累，她要泄愤，要骂，可以找我，我没什么话说，现在我什么话都没有，早没了。心灰意冷。"

他的消极让钱老师大为恼火，"你这样不对。你有什么想法为什么不说？如果你因为她的反应而烦恼，那你要表现在行动上，不能只是这么消极。"平心而论，她说得对，无论是负罪感还是爱，他都没有表现出来。"爱我就要说出来"这个粗浅而基本的道理，他始终不屑去理会，就像他成年后震惊地发现"男人不坏，女人不爱"之类他一贯嗤之以鼻的陈词滥调竟然是真的，但或许基本的道理都是最难明白的。

在那时，他只是端坐在那里，像他一贯的那样，不再做抗辩，听着面前这位既是自己尊敬的老师又当义务调解员的长辈善意地反复叮嘱先考上大学。虽然他心底里怀着一丝感激——离校两年，还要她来干预此事，但他深切地意识到她对自己的了解程度最多与许燕如对等。他于是端出自己万能的应对方式：沉默。

到生日那天，他知道她一定会来信。抑制住心情上涌，从门卫那里拿了信到假山上，用小刀仔细破开信封，一封平淡的短信。孙正宇已经回岛，"即使他在上海，他也不会再来找我，因为我告诉他，他来看我，会给我带来很多麻烦。他也是个聪明人，不是吗？"孙正宇离开上海时没有和她说，事实上在她开口之前他就已经意识到了，他不愿让她为难，于是就此退出。固然，那是 K 多年之后才得知的。

余下的只有三句："你没对我说过什么，我也未曾答应你什么。你父母对你期望很大，你自己也应自重。有事我会让人转达，言尽于此。"

他第一眼只看到拒绝，然后慢慢再读，才看出这是她的劝告。时而是出于羞辱，时而是出于好意，她会规劝 K 好好去读书，他不是不能分辨其中蕴含的不同层次意味，但到后来越来越不想去分辨，因为无论是尖刻的反话，还是令人难以忍受的语重心长，都包含着将他置于未成年人的地位，以至于他作为一个好歹也有点叛逆期心理的少年，越来越不想领受这份说教。

由于难以预测她的反应，他逐渐养成了一种从字里行间搜寻敏感词的审查与自我审查倾向。他与其说是在看信，不如说是在阅读密码。固然，那不是破解罗塞塔石碑的那种艰难，而更类似于从看似浅白的经文中引导出神学解释的那种经院哲学读法。无论是她的来信，还是自己写给她的信，他总要重读、翻检多次，确证其中是否有双关含义或影射。即便如此，有时还是防不胜防。因为隔绝日久，他有时并不清楚她的敏感点在哪里——在后来的一次会面中，他奇怪地发现只要自己一说到学习，便一句话也说不得，直到后来从钱老师那里得知她那时没考好。在这种往复的交往中，他学会了保持距离、耐心观察和迂回试探，以免难以承受她的第一轮火力打击。尽管如此，她的反应仍然测不准，有时纯属一个概率问题，且充满着各种随机的可能性——从某种程度上说。不过平心而论，他当时没有考虑到一种可能性，即许燕如的反应也是在与他的互动中形成的，有时候，恰恰是因为他自己也在同样迂回试探她。

在那段时间里，他逐渐成了陆薇薇的兼职家庭教师。虽然不是经常，但每月差不多总要抽一天去她家看她的功课。开始的时候，他对这种角色安排有几分不安，毕竟在初中时，陆薇薇作为班长的成绩也没比自己差多少，然而现在自己竟然在指导她的几乎每一门功课，而她在某些科目上显然是无须自己传授的。不过，两人渐渐地也就适应了这种新状况，他不算是好老师，但至少知无不言，甚至还顺便解答心理问题。有时他也暗自怀疑，这是不是他自己好为人师的习气发作，因为按说，礼闻来学，不闻往教。

自那次在信上提到高中男友周重之后，他们默契地再未提及此事，仿佛这根本不存在，毕竟，他们所要谈的只是学业，仅此而已。他带有一种公事公办的严谨，看起来不掺入一丝杂念，也从不拿她开玩笑，更不必说挑逗了。他们甚至从来不正眼看着彼此。在很长时间里，他们认为彼此之间存在的是一种真正可贵的友谊，虽然它基本上是不对等的。但别无其他解释。也别无其他可能。

那天陈铮路过，来找他，笑说："章承，听说你回家了？"聊了一会儿集邮，那其实是他现在重点中学的生活中久已搁置的兴趣。他倒是注意到在陈铮的车篮里放着三本《飞燕惊龙》，陈铮笑笑说："这是人家还给我的。"他哦了一声，因为他记得在陆薇薇家里的书架上见过这套书，由于它的流通不像金庸、古龙的小说那样广，他当时还特地留意了一下。那一霎时，他想起上次陆薇薇送给过他《三国演义》和《杜鹃花》的邮票，然而她本人并不集邮，当他问起是哪里来的，她却怎么也不肯说。

那时他家里没有电话，因而也不习惯打电话给陆薇薇，每次总是大致在周六下午一点去找她，但不一定是哪个周六，这毕竟不是真正的上课。有两次，他也扑空了，但他从未想过一个相反的问题：在他没来的那几个周六，她是不是在等着他的出现。

进入夏季，午后的炎热中，田野和道路上满是白晃晃的阳光，蚱蝉和寒蝉蹲在高高的枝丫上声嘶力竭，他在热浪所构成的深沉寂静之中，步行去找她。被践踏的飞絮和树叶覆盖着街道，树荫里不时看到毛毛虫和天牛。有一次，她不在，说是回乡下老家了；她母亲说："她这次考得不好。我都担心她将来考不上大学。平日又不听劝，把父母的话置之脑后。这孩子，总幻想要逍遥和自由，其实是不想面对现实，总想摒弃它。"她在门口说这些时，没有邀请章承进去，那一刹那，他简直怀疑陆薇薇是因为期末考得不好而被父母软禁了起来，不由自主产生了一种想要冲进去救人的冲动。

那天黄昏，她过来找他。她极少会主动来他家，以致他不得不让她在门口等了两分钟，先跑到楼上去穿了件背心来遮掩自己的光膀子。开门时他觉得自己眼前一亮，她穿着一身橙色的崭新连衣裙，裙裾在涌来的风中潮水般起伏。那样子在这乡下少年的眼里，看起来就像是要在今夜的什么晚会上扮演仙女。

她说要去学校补两周的课，叫他周末不必来找她。他感到略微遗憾，的确，他本来是想去找她的，"10 日是你阴历生日吧？"她微微一怔，说："嗯，只好在学校里过了。"她说到这里莞尔一笑："你既然这么说，难道准备了什么礼物给我吗？"

确实有。但还没完全做好。他领她上楼，书桌上材料摊了一片：那是用分色玻璃、三棱镜、圆筒和碎纸片组成的一个万花筒，形成一个简单的三镜结构。他匆匆拼接起来，给她试用一下。她缓缓转动，看到眼前无数光影的变化，一霎时想起国外那种教堂的五彩玻璃窗和顶棚。那是他作为一个理科生所能理解的浪漫，是他掌握的为数不多的魔法之一，也只能做到这些，因为更多的魔法就不再是物理问题了。

这次，他终于预先得知了许燕如将会回岛。钱老师给他看了她的来信：7月1日至12日学工，7月25日返校，7月27日就开始上课，所以她必定要在25日之前回岛一次，因为还有转学手续没有完成。

钱老师也知道了孙正宇回岛的事，"他或许原先还曾抱有过幻想，不过还是意识到了两人之间的差距。"不知为什么，在听她说起这些时，章承甚至为孙正宇感到有几分难过。她也说起许燕如在上海的其他境况：一次考砸了，父亲写信："你再也不是以前的燕子了！"她伤心透了。父亲在给老板拼命干活，供养她和上同济的哥哥。兄妹俩怀疑父亲是在外面借债来供养他们，因为每次问起父亲的工资收入，他总是神情凄苦，闭口不言。

在那个干裂的夏天，想到在楼上的书房里可能听不到楼下的敲门声，为怕她错过，他在楼底坐守了一天又一天。每到夜幕降临，他在云层下乘凉。从黑夜的深处浮出一大块黑色的云，暗示着风和雨。月亮淡了。所有的风沉淀下来，只有夜晚保留了仅有的含蓄，夜是远方严肃的岩层。午夜的墙很凉，往事从心底里涌出来。已经两年了，那往事是一块破碎的玻璃，无法修复了。

终于有一天，钱老师打电话到家前的小店，传话要他过去。虽然心里平静，但或许是夏天炎热的缘故，走了一路踏进门时，他仍然一阵心跳加剧。她听到他敲门的声音，仿佛略带诧异似的抬起头来，这是他们两年来的第二次会面。他打量了一眼，她穿着蓝黑底色的裙子，显得端庄了几分。见到他来，她点了点头，也没说什么。旁边还有一位，说是她的表妹，但他从没见过。钱老师绞了毛巾，许燕如转手递给他，她似乎说了什么，但他怎么也听不清。他低声说了句大概是表示感谢的话就接了过去，蒙在脸上。那一瞬间，他觉得自己的整个外壳都不存在了。许多僵硬的时间都化开了。

钱老师忙这忙那，切水果，倒茶水，他一时几乎要怨怪起来，他并不在意这些点心，倒是希望她能早点儿停下手来，好坐在那里化解这个不可避免的对峙局面。在饭桌上对坐，很自然地让他想起以前曾有过的棋局，他脑子里一片混乱，甚至想起《伊豆的舞女》中男主角和千薰子的对弈。**一系列的日子按某种秩序排列在故事的后面，沉默地看着我。**两人没说什么，仿佛两个对弈的人，与其说想着自己走出正确的一步，不如说在等着对方先出错。

饭后辞别，在七月的烈日之下，他浑身的血液都被烤得浓稠了，手臂表面的汗液被快速蒸发又迅速流出。由于精神和血液都过度集中在头脑上，他感觉四肢无法得到相互协调的支配。一路上，她和表妹在马路上随处游荡，低声说着一些他听不见的笑话。章承感觉自己像一只庞大的玩具熊一样尴尬地若即若离。他知道这重逢来之不易，但又没兴致在别人不问自己的前提下一直问别人，并且也实在没什么问题。这使他知趣地意识到两人的关系尚未恢复到可以一起在街头谈笑自若的地步。他去买了三支雪糕，等她和表妹从花店里出来时递给她们，她俩笑成一团，嘀嘀咕咕说着悄悄话。他十分愕然，不知这算是什么反应。

他约她去自己家里坐坐，她侧耳过来，略一犹豫，欣然答应了。

"哪一间啊?"她入门时笑问。在楼房落成两年半来,她从没来过。

许燕如一走进那房间,就知道那是他的精神掩体。四壁刷得雪白,在钢窗下的书桌上没有任何杂物,除了玻璃桌板下压着的褪色照片,就只有一盆处于休眠期的水仙花。消瘦的那喀索斯。这就是你的气息。她甚至扫一眼就能看出他每天会是在哪个位置写札记,在哪里默默地求取宽慰并使自己变得更为顽固。床底下有一个老式的暗红色木箱,那里藏着他不为人知的秘密。箱子上堆着一叠密密麻麻的手稿,积压着灰尘,看起来足可做他的裹尸布。一张不能更简单的硬木板床直挺挺地搁在那里,床尾旁边则安放着一个桐油刷的简易书柜——她对他喜欢阅读的爱好一直不以为然,认为他的这种个人宗教仪式助长了他脱离实际的倾向。的确,章承看到她凝视着书柜的眼光,就像是在看一个情敌。在一侧的墙上,用图钉钉着一张北半球星空图,以及标示着 equinox、zenith、zodiac 之类英文单词和各种中文天文学术语的贴纸,她忍不住嘲笑了一声:"不知道的人还以为你喜欢占星,想了解人的命运呢。"

这进一步强化了她对于他是一个书呆子的刻板印象,不过在一闪念间,她又觉得,自己可以养他——如果不是考虑到他的(以及自己的)自尊心,她差点已将它宣之于口。虽然她尊重他的智商,但对他的生活自理能力向来抱有一种从不动摇的轻蔑。这次参观进一步巩固了她原先的想象,因为相反的可能性极小——她倒是想有这种可能。

尽管深入到他的精神掩体，但她也未能及时卸下自己身披的铠甲。她没有意识到，那时她看上去就像随身携带了一块盾牌。连章承也看出来，她尽管向来具有演戏的天赋，此刻，她不是她，只是在扮演许燕如这个角色，但奇怪的是，他察觉到她扮演自己这个角色时并不得心应手，好像是第一次排练。她在他面前既有安全感，又毫无安全感，因为她所有的过往都暴露在他面前。两人都保持着可憎的自制力。

　　她站在门口，就好像做出了盖棺论定的宣判："你真的还是老样子。"这句话在之后他们的重逢时将不断被提及。他像一个不愿承认自己尚未长大的少年，悻悻然地说："你要怎样才相信我变了？"她头也不回地答："当我看到你房间里一片凌乱的时候。"

　　她逡巡过去，看着那些星图、书籍和手稿，转头一笑："看你这么勤奋，别人只怕以为你已经造出了永动机。"

　　他愣了一下，少量的幽默感过了五秒钟才被激发出来，好像岩浆从地底深处升到地表需要花费一点时间，他说："不用造了，我就是一台永动机。"

　　她咯咯笑起来，带着显而易见的讽刺："你现在可是高才生了，和我这样的低才生不一样。"他皱起眉头，"上了大学，都一样是读个专业而已。"她懒洋洋地说："谁说我要考大学？考师范就好了，总算我家里已经出了个大学生就行了。""为什么不考？你考了也可以领奖学金。""奖学金？天方夜谭。"她冷笑一声，拖长声音，"和你不一样啊，父母的希望啊，两代人的希望都在肩上，我呢，也不知能不能读完高中，不定哪天不干就退学回家

137

了，我们学校退学的多的是。"

踱到那个木箱边，她指着询问："这里都是你的小秘密？看来我的信也没烧掉咯？"他说："当然，怎么会烧掉?!"她说："你看，多好。我就没什么隐私空间。我写过日记，结果被人看到了，告诉我姑妈，姑妈又告诉我爸，我爸赶来把我臭骂了一顿。我现在每次收到信，总是像间谍一样看过就烧。"他凝望了她一眼。她挑衅似的昂起下巴，仿佛他的那个眼神就是一块红布："怎么了？"

这样针锋相对地聊了半个多小时，她的表妹嘀咕着说想走了。"不准走。"她板起脸。在送别时，他终于轻声抱怨了下她为何每次都喜欢带一个人，甚至一群人，她反唇相讥："我以为我们单独相处，对你而言也是无法忍受的。"当他说起"你有空再来，我父母不在"时，她冷笑了一声，很响地说了句什么，但他竟然没听清。"幸亏你妈不在，免得我见到她。"她重复了一遍，就这么走了。

他关上门，感觉一下有好多年过去了。虽然多次期望她能来到这里，但这事真实发生时，他心里却涌起一种新的奇怪感觉：自己已经适应了没有她的生活，即便没有她也能度过每一天，虽然外部世界仍然坚硬，但不再需要和她共同对抗。反复的出现与消失，已使他们无法维持一种持久的关系，而成为某种需要解释的现象——就像薛定谔的猫，既在这里，又不在这里。

不过她并没有当即回上海。两天后，他在路口看到许燕如，她从外婆家去县城。早晨八点的阳光已很刺眼，他们都没说什么。在这一瞬间，他们都意识到自己已久经世事。

走到桥堍时，孙正宇刚好骑车从桥上下来，他看到许燕如时，只来得及喊了一声，就已被那辆没有刹车的老车带得不知所至了。她笑得前仰后合，回头说："你呀，我早看见你了，在张望什么？"她笑吟吟的。孙正宇推着车回来，挠头说："哎呀，我不敢认，你戴了副墨镜，感觉有些不一样了。"他这时看到了章承，打了个招呼，笑问："章承也在啊，你们是要一起去城里吗？"章承摇了摇头，看着他们有说有笑。孙正宇说正在准备成人高考，"现在竞争激烈，不攒点学历不行啊。"章承远远站在一旁，发现自己在这个场合下有几分多余，心底里一阵微苦，忽然觉得这才是重逢。他毫无来由地冒出一个念头：她不会再给我机会。他决定不再假装理解她。

那时他还不知道，许燕如在回上海之前又去见了钱老师，她有话说。她说，村里人说她去章承家是有暧昧，而小姨因此骂她没骨气。他倒没听过这些议论，不过他奇怪的不是这些议论本身，而是她竟然也会在意这些议论。

在那个夜晚，他坐在阳台的躺椅上，遥望大熊星座。庭院里的苦楝树满树的叶子被八月里如期而至的台风不停地吹得哗哗作响。他把大大小小的事想了一遍。那时世界小得多，每个细节的毛孔都能看得清楚。他忽然想起"金属疲劳"这个词，以前一直觉得很奇怪：金属竟然也会疲劳。

一个问题：为什么别人挠很痒而忍不住笑，但自己挠不会？

四

从未遗忘。只不过就像木材的纹理和年轮，植物成长时的许多秘密都密封在内心的褶皱里。有一年，许燕如说起，她在海船上，和孩子一起从悉尼去塔斯马尼亚岛，在南太平洋的十字星座下，看着那深蓝色的海面，那种平静让我想起你。那时都已告过往，仿佛掌心之沙，沙中之水，"爱情似掌心沙 / 我们生怕它变化 / 紧紧抓住却更流失了它"，在太平洋的海船上，她想起多年前的这段歌词。

不，这不是爱。尽管到了那时，在十七岁的年纪，他已经知道了许燕如外公的身世秘密，从而从最初乱伦的恐惧中摆脱出来，但他仍然在用自己的全身力量来否认这件事。那的确很难说是，只是两个年轻人模糊的好感，又在尚未成形的时候就被冲决了。爱是郑重的事，是责任的重负，他怀疑自己这个年龄是否真的懂得那是什么，而轻许诺言是他尤为厌恶的一种恶劣品质。由于过度的慎重，他拒绝承认自己已投身在其中的事件性质。这并不奇怪，他是一个顽固的人。

他一遍遍地想起那些过往的事，有时是一些碎片，有时是一些模糊的印象，并最终将它们整理成一部仅供自己在脑海中参阅的编年史。在这种回溯性叙事中，他辨认出一些更早的时刻。除了最早的相识和篝火晚会，还有十一岁时的一幕，依靠着回忆和虚构，他才得以将它复原出来。那次他忘了抄数学老师写在黑板上的家庭作业，急切之下想起这个刚来的同班。那个黄昏，她坐在小板凳上，在院子里做作业，也许穿着裙子，开学初见那天，她就穿了一身红色的连衣裙，拖着两条很长的辫子。大人们一边寒暄的时候，他们只相对坐着。他们也许说了点什么，但更有可能并未说什么，不仅因为他一向的沉默寡言，还因为那时异性同学之间难以打破的隔阂。

一年后的六年级秋天，他因为流鼻血住医院，在寂寞漫长的住院时间里，不断看窗外。将痊愈时的一个黄昏，他从医院出去，到她家租的一个小院，院里有野草莓，有爬山虎，前堂有个很大的窗口，她就坐在窗下。回去时，错过了打针吃药的时间，被护士怒骂了一顿。已经想不出具体细节，只记得那时已很要好。从来也不叫姐姐，他并不觉得她大多少，一个月的差距根本体现不出来。有次班里男生竟押着他到她面前，非要他喊，为什么他们会有这样奇怪的举动，自己也不记得了。抬头见她抿嘴一笑，他最终也还是没能叫出来。

第二次生病在初一。在医院里躺了一天，母亲带来的报纸早看完了，穷极无聊。没想到黄昏时她背着书包来了，因为向内躺着，她坐到他床沿边时他都一无所知。她讲今天老师教授的数学，讲作业。

还有一晚，老屋里的电灯坏了，黄昏天黑后，不得已点起蜡烛。听见烂熟的柿子在后院里从枝头坠落到地上，"腾"的一声，随后在零落的雨水中慢慢腐烂。

他是在长江岸边学会骑自行车的。那时已经十七岁了，身高一米七四，坐在那种矮座的自行车上，双脚都已经可以垂到地面上。这样就免去了上车这最难的一关，只要保持好平衡，万一不稳，那两脚一撑就行了。

他只花了一小时就学会了，一跤也没摔。这门技能竟然如此容易掌握，那是他最感到吃惊的事。

而这还是由于陆薇薇的提议。"章承，你竟然不会骑车吗？去学吧，周末我陪你，你现在这样，一天就能学会了。"她因为得知章承每次都是步行过来给她补课，惊讶极了。他第一次在她面前感到有几分羞愧，他解释说，虽然这本该是早就可以掌握的技能，只是由于离城镇近，步行不远，车辆又多，母亲那时总怕他学骑车危险——而且，她本人也不会。

他们中断了补习，她推着自己的女式自行车，拉着他来到江边大堤上的平路上。"来吧，"她拍拍坐垫，"这里没人。"他有些赧然，但他第一次意识到这可以尝试一下。由于他总是教导她要坚忍，此时如果畏缩，也显得尤其难堪。她给出了指导意见："你直接坐在上面，眼望前方，双手平衡好，两腿蹬起来；至于上车，等你有了平衡感，随时都可以上。"她招招手，"来吧来吧，我会在后面扶着你，没事的。"

尽管开始有些摇摇晃晃，但他还是逐渐找到了那种掌控感，一种新获得的自由。开始的时候，她叮嘱："两脚用力蹬，不要怕，骑得慢反而难以保持平衡。"这样，她在后面扶着后座，不断地说点什么，像是在鼓励一个婴儿走路，但很快发现他骑行时用力过猛而笑喊起来："慢点！慢点！"骑了一阵，他感觉后面声音渐远，停下来回头一看，她并没有扶着，只是一手撑着腰，在那笑着说："继续！继续！别回头。"

幸好，并没有两个人一起摔倒的状况出现。

过后坐在大堤上，她总结他刚刚形成的骑车风格："你是那种人：当一个障碍出现，阻挡你的道路，你不会绕过它来前进。不知道你是生性如此，还是技巧不足？"他避开她满含笑意的眼光，仿佛是为了避免将她捕获进自己的轨道。

三烈中学已经分班了。陆薇薇选的也是理科。无论文理，她说，不会对你们造成什么威胁，陪太子读书罢了。他笑笑说，现在可都是我在陪你读书。她扑哧笑起来。

他后来不是没有想起过那些时光。在她母亲礼貌的监视下，在那个总是散发着萎谢的花朵气息的朝南房间里，缓慢到几近单调的时光。总是不停地在做习题和辅导习题，不错，就是这样不断往复，从未更改。只是他渐渐地察觉，自己这样收效甚微，她的成绩似乎也总不见起色。也许是午后困乏的缘故，做题目到后来，她总是不断变换着坐姿，拨弄着书本和笔，一副慵懒的样子。有时他怀疑是否自己的存在已构成一种干扰因素，但她从未说过。相反，她总是不断地说，谢谢你，谢谢，包括在信上写，"对于我，即使在凄惨中想起你，嘴角也会露出笑意。"她说，"你这人真叫我无法有半点怨嫌，你不像我父母成天唠叨'好好读书'，然而你的字里行间无不透出这两个字，平添了我的信心。"

到后来，他也会讲得快一点，留出半个小时的空闲，仿佛两个囚犯，在早点干完今日定量的除草活计之后，在那儿吹吹风，享受一点太阳底下的时光。那时候往往不知道说什么好。她有些害羞，话题一讲完就微笑低下头。有时他觉得很奇怪，印象里她初中时好像并不是这样，固然那时他也没有过和她独处的经历。

她从未真正摆脱那种缺乏内在动力的状态。有一次她说："我对大学不太感兴趣，我只想尽快有个工作，自食其力。看到不少同学都工作了，自己老是依靠父母，太不应该了。"有时她渴望远走高飞，但另一些时候又贪图这里的安逸，她甚至说："我不想在上海，我并不喜欢。然而年轻人在岛上又很难有好的机会。"她让他觉得，她其实并不想要长大，只是时间终于一点点地逼近了那个"赶出园子"的截止时间。

有时候，在拼命读了一阵之后，她的信心也一点点膨胀起来，她笑着说："高考总共就只有四门，我怎么会学不好呢！"然而，恐惧并未远离，几分钟后她可能又会说："我很担心。因为我没有把握。"好像从未察觉这些话之间的前后矛盾，除非她是有意要展现这种内心的矛盾。现在的生活，让她觉得压抑，她希望能痛痛快快玩一阵，然后定下来读书，这样或许效率更高，但在现实中，"我只能在平平淡淡中浪费时间，在哀怨中磨掉自己的意志"。他变换着各种方法劝她坚忍起来，她看着他说："我知道我不是属于那种'坚忍型'的，所以你才会希望我坚忍。"

原本在最初写那封信给他，她只是简单地希望能从重点中学获得一些学习的窍门。然而那时班上直升崇明中学的也有三个男生，她只写给了他，而他若论成绩，甚至是其中相对而言最差的一个。这一点她倒没有想错，虽然一度冷淡，但他如今在学业上所提供的支持远比她最初的预料还要多，就像一个小女孩写信给圣诞老人要点祝福，结果收到了那位神灵亲自送来的整整一麻袋礼物。目的无疑已经达到，然而目的却渐渐沦为了手段：补习功能已不是目的，重要的倒是一次次和他的会面。她有时甚至厌倦了每次会面都只谈补习。但她不曾和他说起这一点。

她几乎不敢在别的时间打扰他。只有偶尔，才会写封信稍稍流露一下抱怨。"也许你在等我的信，正如我在等你的信一样。你的一切还好吗？总觉得你们的生活是丰富而有意义的，低头看看自己，应付了明天，竟不愿多做课外的，觉得无聊起来，看起了闲书。一个人很难轰轰烈烈，我心甘情愿忍受平凡，但极不愿平庸，在未来的日子里少一点遗憾，我想应该这样去做。可是阿承，我又是软弱的，我怕艰苦。一个人来这世上究竟有什么意义，只是在平凡中饱尝一次生命的辛酸苦辣吗？"

在一个初冬的早晨，他抱着新的材料和试卷去找她。淡淡的阳光从南窗外洒落进来，空气澄明。她正在洗头，长发湿漉漉的，撩起来后露出少女光洁的后颈，以及一颗不明显的痣。她举着头发，神情略有些狼狈，羞涩地笑笑说，对不起，我可要洗一会儿呢，头发长没办法。他笑笑表示不必在意，侧过头，看到那面落地镜。那时刻，他心里想，她这么多年来看到的是镜前的我呢，还是镜中的我？

他们约了黄昏一起返校。为什么有这个奇怪的约定，很快就无人记得。本来他从东城返校，并不需要去南门的候车大厅，只有她才需要。但她温驯地由着他陪伴，仿佛那是留给他的一项特权。风从岛屿的西北方吹来，掠过这片无遮挡的长长沙洲，带动着内陆的尘埃，朝向海洋深处的归宿。他把自己的回信给她，但上面还是贴好了邮票。她嫣然一笑："你是要做自己的邮递员吗？"

车站大厅里灯火通明。他们谈了些身周的琐事，他意外地发现，谈论琐事竟也能如此愉快。她轻轻侧过头来笑问，你想送我回学校吗？他假意起身，笑说好啊。分别之际，她双手提着包垂在胸前，用感激的语气说，这么晚了，又耽误你了。

外面落叶深，街口遥望这座小城。冬天来了。心中的小野兽一时还不肯进入冬眠。

圣诞节也渐渐盛行起来。12 月 21 日章承去门口寄卡，学校邮箱已经塞满，后来听说足足收了半麻袋。两天后，他收到许燕如寄来的卡，但不是圣诞卡，黑白的封面上是法文信笺上别着的一朵花。内页附了一句话："我们曾携手度过几年愉快的时光，想到以后相见无期，也很是遗憾，很希望能和你保持联系，也不枉朋友一场。"

奇怪，他此刻竟对这样温和的附言颇有几分不习惯，情不自禁地去猜测它是否还别有所指。虽然"以后相见无期"包含着不祥的意味，但后半段至少没有要断绝关系的意思。翻来覆去也只是这四十四个字而已，再不能读出别的什么来。他在枯干的紫藤架下站了一会儿，只觉疲倦万分。他也没想到她会回信。他意识到双方的沟通已出现了一个离奇的新情况：寄卡出去，于他而言这只是一个习惯，不是为了扰动或讨好她，只是为了自己内心的平静。这张卡于是起到了一种始料未及的反效果：让他产生了强烈的距离感。**都是求近之心，反弄成疏远之意。**[1]

寒假里他去见钱老师，她说："许燕如对你们的事想过很多很多，觉得这事不可能。"她说到这里，停下来注视着他。他淡淡说，我也想过，这不可能。

作为许燕如非正式的监护人兼辩护人，钱老师说："你要想到她一直很不容易。"现已高三了，她心底包袱极重，而且父亲可能会娶后母，这也是她难以接受的。他不知道该说些什么。她放弃了初中时代原本依赖过的拐杖，而在失去之后觉得它更像是自己肢体的一部分，然而出于那种致命的自尊，她再也不可能重新去依赖他。那道开放的伤口对两者而言都只能依靠时间来愈合。如果说他们曾存在一份建立在不可言说的孤独之上的友谊，那么现在由于长久隔阂造成的相互缺席，他们已经无法维系原有的那种临时共生关系，因为他们在一起时彼此都难以自由地呼吸了。

在钱老师家看了她的来信，附有两张她去同济拍的照片。落款是 23:45 写的，说"下面要继续读英语单词"。说到她孤独，她一直没什么人可说话，他沉吟了下说："可惜孙正宇回来了，不然也好。"钱老师说："哪里呢，我上次话里也暗示了一句，孙正宇说，怎么钱老师你也不了解我呢。他是热心肠。但许燕如也

---

1. 引自《红楼梦》第二十九回。

并不什么都说。她既孤高，又自卑。"

　　他不知道这是不是钱老师在暗示他才是唯一的候选人，因为上次毕竟也是她说的，孙正宇起初曾有过幻想。不过无论如何，如果孙正宇说过那样的话，他也不会意外，为了他曾为许燕如所做的事，他会一直对这个大自己两岁的兄长抱有尊敬和感激。

　　夜里翻检旧信时，他重读了陆薇薇写来的第一封信。在署名的地方是一张卡通贴纸，贴着一个眨眼的女孩子形象，他对着灯光仔细看才发现从背面可以看出，贴纸下面写的其实是"学友：陆薇薇"五个字。

　　他把这个整整一年多之后才发现的秘密告诉了她，她在信上说，"你当时看信，竟还不确定是我，真是失望。不过，现在一切都好了。有些缘也可以去争取。"在那个年代，那个年纪，人们常把"缘"挂在嘴边，把它作为人际关系变幻的一种万能解释，因而为愤世嫉俗的章承一贯厌烦。按他的认识，"缘分"完全可以用概率来描述。不过他能分辨出，她这么说是认真的，当然更是一番好意。

　　陆薇薇寒假里又回校去补了两周课。其实也没补什么，每天7:45才上课，课程安排轻轻松松，又是上大课，所有人大都只是混在里面，看看小说而已。她笑着对章承说，远不如你上得好，而且在你眼皮底下，做小动作都不行。

　　那天进门时，她父母正巧不在家，弟弟喊："姐，来人了。"骤然失去了父母的那种监护，他反而感到有几分不自在。不过很快也松懈下来，虽然还有半年就高考了，但毕竟春节临近，彼此都有点没心思，最后变成了单纯的聊天。她希望会考完了，离开这个小岛就行，母亲希望她去考个税务、秘书之类也就可以了——对于女儿，她的期望值并不太高，那是他们家里公开的秘密。

她也的确畏惧高考，但愿能会考完就确定保送学校，躲过那可怕的一劫。不过3+1的高考科目好歹总要确定一门，她选加了化学。"其实你化学比我更好，你自己又不选加化学，还拖累你帮我上化学课，"她说，"我并不真的喜欢化学，不喜欢实验室，感觉那些个瓶瓶罐罐，看着总像是有毒的。"不知是误打误撞还是话中有话，她倒是击中了要害。他想起炼金术士帕拉塞尔苏斯的那句著名的格言，那个毒理学的基本准则："剂量决定毒性。"

虽然他最终选了物理，但毫无疑问，作为化学科代表，他深知这一点。或许也是因此，他每次去见陆薇薇，都好像在实验室里控制剂量一样，单次停留时间不超过两小时。有次因为解题复杂并有多种解法，讲解下来超过了三小时，他心里就很挣扎，仿佛受了莫大的诱惑。他确保从不留下来吃饭。他知道在会面时总是看钟表是极其不礼貌的，因而他依靠内在的生物钟掌控，并在她不注意时再用机械钟表校准。但或许是由于他对精确性和刻板生活规律的偏好，他也不愿意提早离开。陆薇薇和她的父母都曾再三挽留过，毕竟让他像钟点工一样过来提供服务总归过意不去，何况还是无薪的。直到后来她不再坚持，除了不善客套和心灰意懒，主要原因是她认为挽留他无异于是在浪费他的时间。在这一规则渐渐确定下来之后，他们都习惯了这样的节奏，他对此感到欣慰，而她，则觉得他好像就是一到时间点就会消失的南瓜马车，任由她变回灰姑娘。

今年生日这天，章承没接到许燕如的来信，三天后它才姗姗来迟。就像一班向来准点到达的列车忽然大大晚点一样，在拆信之前他就已预料到，那必定是发生了什么不同寻常的事。

我生病了，但我还记得你生日快到了，托人把信寄给你，但却报错了邮政编码，它又被退回来了。

不要把信给第二个人看，包括钱老师。

以前的我幼稚无知，但我情愿回到从前。我不敢有你这种朋友。你是个很优秀的男孩子。那就是我和你谈话时放不开的原因。我以为我们以前是好朋友，那时我有事都会说给你听。我知道那是对你的依赖，我完全把你当作同甘共苦的知己，而你的确是的。

我已不是以前的我了。日记被我姑妈的儿子私自看了。因而我如今在日记上也写着假话，把我内心唯一一块净土也给污染了。他践踏了我的自尊，我的成绩一落千丈。我现在这样，心里很难过，很苦，你不会懂。这样的心情很可怕，你知道吗？

在这里无人可依靠。这里的副班长，当他说他喜欢我时，我以为开玩笑，之后他的行动不能不使我警觉。我知道我应该拒绝他，可是当我相当自卑、自责、情绪低落的时候，我确实需要一个人给我鼓气。

我有时会想起你，希望能盼得些许安慰，可是很失望，于是盼生日，因为我知道你会寄卡。我知道我会后悔写这封信的，实际上我现在已经后悔了。我一直知道你是很迁就我的，趁今天说心里话的机会，为我以前做得不对的地方说声 sorry。

她现在终于说这些了，可是太迟了。在某种程度上，那就像是从远处看一场山林大火：他以前会奋不顾身地去设法扑灭，甚至依靠自己的细心，在火情出现之前就能察觉；然而此时，不仅是由于地理上的隔绝，他自己内心也觉得或许更可取的处理方式，就是等它自己完全燃尽，在安全距离之外看着它变成灰烬，直至尘埃落定。无疑，他无法不动情，但对她的一些痛苦，他却真的像她所宣称的那样，感到极其费解——如果日记被偷看，就算不能搬出去，至少不必写假日记，也可以拒绝。他对这个女孩子的黑暗的内心已感到有几分无法理解，但无论是出于礼貌、谨慎还是安慰，他除了表示理解之外别无选择。

至于她信上说他很优秀之类的话，他并未在意，恋爱让人自卑，在暗恋中就更是了，这个道理他也明白。他回了一封信，宽慰她不要多想，等一起上了大学再说。但刚寄出，当天又接到了她的来信：

其实何必隐瞒，我知道你把我的信给人看过。

一旦没有了共同语言，还能当朋友吗？当然不。我只认为你是我的表弟，我们会是一辈子的朋友。我也不知道为什么，和孙正宇在一起比与你在一起自然多了。至于现在的副班长，他在学习上帮助我，生活上关心我，我也只会当他是朋友。我还有很多关心呵护我的人，我不怕孤独，也不会寂寞，很感谢你还惦记着我，我会永远记住这份情。

你也要好好读书，不要辜负父母的期望。

他简直惊讶得张大了嘴巴。在几乎是一眨眼的时间里，她就这样恢复了平静，重新戴上面具，全身披挂铠甲和盾牌。对于这种反复无常的急转弯，他从肠胃里涌起一种生理上的不适感。仿佛他面对的是一个印度教中的迦梨女神，集毁灭和创造于一身。他当然知道那是她在激情过去之后，出于不影响他学业这一好意而有意这样写，可是他不仅无法忍受她无端（竟然还是以如此确定的口吻！）的怀疑——毕竟她的来信连赵震也从未看到过——而且连她的这番好意也无意消受。

看完了信，他跑到僻静的假山凉亭，他一直以来的临时避难所里，一口气打了自己八九个耳光。为他们之间这种扭曲的感情，那种被视为未成年人、垃圾桶、乖孩子、泄密者和备胎的无尽羞辱感。

静下来后，他重新审视了一下两人的相处模式，发现了他们之间的楞次定律：接近时，感应电流产生了相反的磁场；而离开时，磁场减弱，又产生了相反的磁场。那就是物理教材所说的，感应电流的磁场总要阻碍引起感应电流的磁通量的变化，"来拒去留"。就像解答了一道难题一样，他脑海里论证的结尾加上了"因此得证"四字。

希望，那是可有可无的。

五月里，在去上海的渡船上，章承忽然想起这句话。在两个半小时的慢船上，他在甲板上迎着当面吹来的沉沉东风，望着江面上一个个旋涡急速过去。这在浩浩荡荡的大江上，他感到既孤独又自由，恰似多年后他在高空的航班上所感受到的那样，而长江口这段江面的宽度，也正与飞机在平流层时与地面的高差相当，都是一万多米——这样说来，在岛上眺望对岸，也就跟从空中俯瞰大地差不多。这条开阔、凶猛、仿佛有着无穷无尽精力的大河任意摆布着这艘客轮。洪水季节将至，浑浊的水流从上游奔流下来，深沉的水里浮动着树枝、破布、塑料盒和凤眼莲。在锈迹斑斑的船壳外向下深望，有一种让人想要纵身一跃的冲动，那会和所有这些事物一起随即被冲刷得无影无踪。

慢慢地，看见石洞口高高的烟囱。那就是在岛上的江岸边所看到的彼岸那种海市蜃楼般的幻景。对章承而言，上海，首先是许燕如居住的城市，除此之外的其他都并非重点。实际上，那与其说是一座城市，不如说是一个迷宫。

这是他第一次来上海。在复兴公园的高考咨询点喧闹得犹如市场，他和同学挥汗如雨地走了许久，拿了一堆材料，末了才感觉无所收获。北京大学今年在上海只招十个人，一路都听到家长耳提面命地用上海话叮嘱自家的孩子不要去考外地院校。他曾问起过陆薇薇考什么学校，她回避了这个问题："我想约定和你一起考同一所学校。可是这对我而言没有意义。我考不上北大。"

这是无可挽回的距离。虽然在后来的人生中，高考的成败有时候并未像少年时所以为的那样具有决定性，但在当时，却足以决定生死。章承迟迟才意识到，即便自己的补课果真有一些提振学业的效果，也不足以抵消他自己的存在给陆薇薇带来的自卑感。

春日的一天，在江边，面对着滚滚东逝水，坐定之后她忽然说："你还记得李莉吗？"记得，那个活泼的初中女生，后来也考到了三烈中学。

"她死了。"她淡淡地说。

"死了？怎么会死的？"他大吃一惊。

不清楚。她在长江岸边被打捞上来时衣衫齐整，鞋子也好好的，双手甚至还插在裤袋里，看起来是自己平静地走到水里，慢慢沉下去的。没有留下什么遗书，没有任何一句话。最后看到她的人甚至记得她还微笑地打招呼，没有任何异样。也没有他杀的任何迹象。有人猜是因为她学业压力太大，临到高考了终于没希望；也有人猜是因为同学间风传她和一个男生的绯闻后，却被那男生断然否认，由此而萌生的差辱感；还有人说只是因为被她父亲骂了一顿而想不开，毕竟太年轻。只有一点是可以确定的：她就那样决然地赴死了。

距离高考的那个最终时间越来越近了。如果说人是机器，那么此时发条已经从内部越拧越紧。到夜里，新落成的高楼如此空旷，几盏灯，只有 K 自己的影子。一排长窗，暗蓝色的窗隙里穿过风片，然后雨点就叮叮当当地敲击着这个空旷的房间。廊下有积水，铝制的班级名牌在风中吱吱嘎嘎地荡漾，洗白的天空下，楼群浑身湿透。宿舍北墙外的蕨类植物在潮湿的窗下生长，他盘坐在潮湿的被褥上，这样就可以什么都不想了。

在周而复始、无穷无尽的题海之间，K和陆薇薇减少了会面的时间。有一次在车站相逢，两人几乎擦肩而过，她那心不在焉的样子，好像在梦游。他叫住了她，她显得沉默而忧虑，见到他才有几分强作欢颜。她解释说英语没考好。

他去找她两次，她都不在。他隐隐感觉到，她似乎有几分怕见自己，不知道为什么。她在信上甚至婉言谢绝了他下周末的相见。只是那封信的调子并不低沉——又或许只是为了宽慰他，也为了宽慰自己。

有一天黄昏，赵震来找他出去走走。两个人都不知道谈什么。已有好长时间，苦读和做题是他们生活中除了吃饭睡觉之外几乎仅有的内容，以至于停顿下来觉得一片空白。后来他知道，这也是工作狂的征兆。那种空白，可怕的空白，仿佛等待有什么事务来占领自己的生命，以此获得某些充实感。赵震忽然说，你知道我那时候为什么会喜欢陆薇薇吗？也是因为太空了，好像某个幻影可以提供支撑。

他问K，你对陆薇薇了解多少？

K不动声色地说，十二分。

这么肯定？

对，我肯定。

他凝神看了一眼K，说，我觉得你未必很了解她。你总是说她对你很温顺，但我去打听过，因为我表弟刚好在三烈中学她的隔壁班上，他说陆薇薇并不是这样一个女孩子，她似乎有一种闷在心里的叛逆，会在课堂上直接反驳老师的看法，会和她的死党蒋春雨去投诉食堂的饭菜，在那里当面和厨师大吵起来，她还有一个篮球打得很好的男友……

K打断他的话说，我知道她有男朋友，她没有瞒我，虽然我不知道你说的另两件事。

问题的重点不在这里，赵震说，问题在于，她喜欢的那个男孩子也很叛逆。

在正午的阳光下，空气好像都已化为颗粒状的沙砾，摩擦在脸上觉得难受。章承在底楼狭小阴暗的宿舍里，静静等待时光流逝过去，倒像那是一条肉眼可见的粒子之流。那是一种矛盾的愿望，既期望时间快点过去，又期望它能慢一点。在这样的午后，让人感觉生命已经停止，仿佛就算明天就高考，也并不会带来什么足以让人惊奇的新鲜感。直到最后离开之际，看到满屋的教材，他才能向着这个自己曾居住了三年的洞穴投下最后蔑视的一瞥。

在七月的一场雨中，旱季结束了。雨水日夜不停地拍打着后窗，窗帷和被褥都潮湿不已，让人烦恼。据守在宿舍里的几个男生，仿佛在第一次世界大战的泥坑里蹲踞了数年之久的西线士兵，在一场虽然没有硝烟但持续时间出乎意料的漫长战争中疲惫不堪，他们面有菜色，神情委顿，用报纸和教材往脸上扇风，搅动黏稠的空气，不时混杂以喃喃自语和窸窸窣窣的声音。宿舍里杂乱无章，乍看仿佛有一个丛林在那里，发出幽暗的色泽。

在战争终于结束之后，章承在家里睡了三天，既不看书，也不想去见陆薇薇，至于打电话给许燕如，他始终心怀畏惧。就像

《肖申克的救赎》里那个在监狱里度过了自己数十年人生的老囚徒在重获自由之后不知所措，或者一个饿了许久的人忽然面对满桌食物一样，他对忽然间自己"想做什么就做什么"的自由在短暂的狂喜之后就陷入了茫然甚至厌恶之中。该做的已经做完，剩下的只是听天由命。

他想使自己变得筋疲力尽一点，忽然冒出一个疯狂的设想：可以骑车环岛一周。主意既定，他向父母谎称去拜访同学，几乎是怀着虔诚之心开始了自己的成人礼。但他没有想过要和陆薇薇一起骑，那毕竟太不可思议。

全岛从西到东的最长距离是七十八公里，南北最宽十三公里，周长近两百公里。他一路向东，走了许多村庄和乡镇。在旱季干裂的乡间土路上，弥漫的蝉声一路尾随着他。在炎热的午后，经过那些看起来雷同的村庄和散发着热气的河流，以及一些没有来得及绽放就被人折断的路边花朵；在更适合赶路的清晨、黄昏和夜晚，则可以在河里看到破碎的月亮。在高高的大堤之外的东滩和北部的大芦荡，一切仿佛还刚刚只是天地初辟的样子，连同天顶上固定不变的淡淡星辰。

在北沿公路向西骑行是最愉快的经历。无论清晨还是午后，树影沙沙，常常寂无一人，就好像独自在背离海洋的方向深入内陆。转过牛棚港后，在跃进农场附近出现了大片高大浓密的香樟行道树。在他学会骑车后，这个岛屿终于从一个已知的世界缩小成了名副其实的岛屿。他那时还不确定，这是他长大了，还是它缩小了。那时候，他想起陆薇薇，甚至感激她让自己学会了骑车。那不是一种技能，而是自由感。

他无从得知，等半个月后放榜，会有不好的消息等着他。他后来一直记得她那天的表情，看上去平静之极，像是早已预先知道了结果。

"我嘛，重读一年吧。"

"我有些话……"

"你说。"

"我……"

"唉，没什么的，你别担心。"她那天故作轻松。室内的电风扇迟滞地转动，仿佛空气浓稠得难以推开。

她后来说，我觉得你还是应该去北京。是的，他也曾经想过去上海，但最后一刻他觉得可能去一个远一点的城市更好。虽然那会是令许燕如失望的事。在他八月里最后打通许燕如电话时，已经从钱老师那里得知了她也考得不好的消息，这解释了她何以久无音讯。在一蹶不振的暑假里，副班长孟树龙每天坐车三个小时从宝山赶到南汇。拒绝他表白的那天，他很痛苦。

在电话里，她也不愿和章承多谈下去，"我旁边有人。是的，是他，他还是天天来。如果是你，你不会这么做。我把工作也辞了。和我爸新找的那个女人大吵了一架，我无法接受。"她的声音既近又遥远，她以尽可能冷淡的声音说，"我们以后就是朋友，你懂吗？普通朋友。"

"问题是普通不了。"

"你说这些已经太晚了，我做得够多了，你这人太冷，我对你早已失望甚至绝望了。接下来的四年，你在北京，没有了，没什么好说的。我挂了。"

电话是一个奇怪的发明，似乎没有空间距离，但又让人感到那是切实存在的。

在那段为期五天的夏日旅程接近尾声的时候，他去了万安镇，那是他三年前就应该来的地方。这个少年，迟到的时间旅行者，想到历史已无可挽回地写成，在许家老宅外的墓地边落下泪来，为自己那时的无知和愚蠢，为无法身为四维空间的生物重返历史现场的无力感，也为一段始终遭到否认的感情。

在万安镇往东，通往江边大堤的路上，他沿着弯弯曲曲的土路向前去，越过前面一高一矮两个男孩时，他和其中那个大男孩对望了一眼，同时"哦"了一声。那是孙正宇。"你刚才怎么往那边黑猫草地里闯？"他说："那人骂你呢。""黑猫草？黑猫草是什么？""是喂鱼的，"孙正宇扛着铁锹，回头说，"你这里有亲戚？""没有，"他摇摇头，"我们考试刚定，出来瞎走走，第一次来，不认识路。"两人说着走上长江的高堤。

他低头要锁车时，孙正宇笑了下："其实不锁都可以，这里没什么人来。走吧，我们下岸去捉蟛蜞。"拨开芦苇，他问："你最近怎么样？去年回来后也没怎么见你。"孙正宇用力掘着泥，"就那样吧。毕业回岛后就做点装修的事，最近一阵闲，就在家和孩子们胡倒腾。"一边说着，一边看看章承，"你也变化很大，但看你的胡子还是能认出来。"

章承折下芦管，用小刀切开外管，留着一点内膜，呜呜地吹。旁边的小男孩抽了一根芦苇芯，抽去内芯，也吹起来，向他笑笑。荒凉的江边，端午节早过，也没什么人来采芦苇叶了，四处长得密密层层。一些新生的芦苇尖尖的，高高低低，都很年轻。在沙滩的淤泥里，一些小螃蟹钻出洞口，在那里谨慎地晒太阳。

在大堤上，望着前后涌动的芦苇荡，在这雾蒙蒙的晴天之下，他想到，的确是过去了。这是他在十八岁时产生的沧桑感，一种可笑的自我折磨的念头，虽然自我折磨几乎是青春期的特征。他觉得那些都过去了，但却发现它们无法结束。多年后他才恍然大悟问题出在哪里：那种暧昧模糊的状态，就像青春期本身一样，既非儿童，也非成人，是一种不稳定的过渡状态，它无以命名和界定，你得先承认它，才能摆脱它。而他却一直在用自己的全身力气来拒绝承认它。

一个只了解自己的人，对自己又了解多少呢？

3.5

快到家时，手机屏闪了一下，接到周岚的微信："今晚有空一见吗？我回上海了。"我皱起眉："你这次待几天？""抱歉，我这次日程很紧，今天也是会议临时结束得早。你不方便的话，那就看明天吧。"

第二天一早看到她昨晚 23:29 的微信："明早方便来我家吗？明天我也一堆事，如果你过不来，那只能等下次回来时再聚了；如果你能来，记得给我带份早点。"简洁明了——那就像是一位首席执行官在下工作简报。

我盯着天花板看了一分钟，直到在白壁上看出了一串几何图案才起床。7:40 出门。周末清早的地铁空空荡荡。去她家附近的必胜客买了早点，一路走过去，绿荫环绕的小区。

她刚睡醒，有几分惺忪，挂着耳环。她说，你先转转。房间很宽大，三室两厅，能有一百六十平方米。"市价六七百万吧，"她轻描淡写，"这次回来原因之一也是为房子，打算出手一套。我有三套房子，其中一套现在我哥哥一家住着。""都在你名下？""我自己赚的。怎么样，后悔了吗？"她仍然保持着笑意，直视着我的眼睛。我避开她的目光，笑笑说："你赢了。"她咯咯笑起来："你总是让我，这样也不好，倒像是我在欺负你似的。"说到这里她敛起笑容，"我知道你一直比我优秀。别看我总想胜过你，这点自知之明我还是有的。也是因为这样我才加倍痛苦。我知道你只是让着我，我习惯了这样，以至于最后把你让着我视作理所当然。""怎么认真起来了？"我说，"我也没让着你，我也想有三套房子，但是做不到。"

房间空关已久，她说昨天花了很多时间清扫，说到这里她瞟了我一眼，笑吟吟地补上一句："主要是因为今天有贵客。"但在我看来，和她以前的所有住所一样，这里好像也还是带有某种临时港湾的气息。

我是第一次来。至于她，尽管多次邀请，但从来不愿意上我家门，她说不想见到我妻子，甚至不想知道她是谁。在她家里的墙上，挂着一张大幅的母子合影，但没有夫妇俩合影。"我觉得他没有我们母子也能过得很好，甚至或许更好，"她转向我，嘴角带着笑意，"这一点上你们俩倒是有点像。"多年过去，她的面部轮廓看上去少了一些棱角，但我还是能感到她那种锋芒，足以置人于死地。

儿童房里堆满了孩子留下的东西。她说准备在澳大利亚住五年后回上海，现在孩子三年级，到那时就快上高中了，可以独立了。她甚至叹了口气说："虽然那时我反感你妈，但现在身为人母，我也能理解了。而且，你知道，我没有童年。"刚去时，孩子的英语跟不上，有点不适应，老师让画一个怪兽，但"獠牙""肉球"之类的英文单词，在国内都没怎么教过，以至于旁边的小男孩高叫："Teacher, he draws nothing!"儿子回来委屈落泪，她当晚写信给老师，用克制但坚定的语气要求换座。不过老师没有同意，转而鼓励孩子自己去解决问题。那是对的。他们俩后来成了好朋友。

除了儿童房，每个房间的墙上都有液晶电视，连餐桌边也有一个，但没有书架，也看不到书。她一如既往地善于察言观色，总是在我提问之前，就已经把答案准备好了。"我现在很少看书。或许从来也没有真正喜欢过。只有小说还偶尔看看，不过，"她顿了一下说，"我看不得那种残酷的、悲剧性的情节，只喜欢看喜剧性的，所以我看小说第一反应常常总是先看开头和结尾，尤其结尾，要是结尾太惨就不看了。我对那种缺乏情节的小说也看不下去，小说嘛，总要跌宕起伏。"见到我异样的神情，她扑哧笑起来："干吗，我跟你不好比。"我笑："原来你也注意到了我鄙视的目光。"

想起龚古尔兄弟日记里写的："今天傍晚公爵夫人说：'我只欣赏那些我希望成为其中女主人公的小说。'再好不过地说明了女人们判断小说的标准。"在某种程度上，她期望的小说，无异于美丽的谎言，是对未能实现的往事的补偿，但小说家却往往必须成为一个残忍而无情的人。不过她争辩说："我并不是完成一个白日梦，那我自己或许能做得更好，只是看来我们对'虚构'的理解不一样，你说的'虚构'，在我看来有时是'歪曲'。"也许吧，不过至少在小说里，虚构和真实是平等的，或许可以这么说，都只是为了避免重述，避免再次体验，至于蒸馏出来的是晶体还是粉末，都只能看运气了。

我说："我是真心祝愿你在现实中幸福，在小说中的幸福毕竟并不持久。""不，我觉得刚好相反，"她凝望着我说，"但我知道你这么说是真心的，这样你可以免于内疚。"我苦笑，向她道歉，为过去的许多不快、自己那时的年少无知，许多事本可以更好的方式解决，也许那样不值得写成小说，但可以少一些误会。不过这样说，包含着某种时代错置，因为现有的经验和成熟，都是那些无知和错误分娩出来的。

她点起一支烟，平静地说："我从不后悔，如果没有认识你，我不会成为自己希望成为的自己，虽然现在的我并不完全是我曾希望成为的样子。请你用好自己虚构的权力。大团圆结局可笑吗？女人的梦想难道可笑吗？"

"不，我只是不想白白浪费一个悲剧。"这确实是一个难题：如何写一个让她愿意看下去的结尾，一个也可以从结尾读起的故事？

她毫不客气地说："说实话，你写得没以前好了。中学时觉得你词采更华丽。"

"词采上，我承认是。但那正是我费了很大劲改过来的。"

"有时甚至晦涩难读。"

"怎么会？我写的要是晦涩倒好了。话说回来，晦涩至少有一个好处，就是避免太过清晰，以致别人无法误读它。"

我也抱歉地承认，她对小说的口味，我可能满足不了，而我更多是在为自己写这部小说，她看了可能会失望。她淡淡一笑："没关系，小说家的话都要打点折。"

她带着揶揄的语调说："我倒不知道我们那时的事还有那么多可写的，以至于花费了你那么多时间还没写完。我听说过，如果有足够多的时间，连猴子也能在打字机上创作出莎士比亚全集来的。"

的确，现在看来，那都是一些琐碎的小事，或许本可以在一页纸上写完，不过，或许正如巴拿赫－塔斯基悖论（Banach-Tarski paradox）所表述的，一颗豌豆可以切成不同碎块，在经过旋转和平移等方式重新排列之后，这些碎片足可构成一个类似太阳大小的球体。生活的片段本也可以组成任意大小的形状，只要作者和读者都有足够的耐心。

她有耐心，并把这归功于我："部分也是被你磨出来的，这一点你无须谦让，如果你庆幸我有耐心，那感谢你自己就好了。你就慢慢写吧，你应该没我那么忙。"

"这年头说人闲，几乎像是道德指控。"

她笑笑："那么，至少你从来不缺乏专注力，作为一个书呆子。"

仿佛是一个从自己艺术赞助人那里获得了授权和宽限的画家，我告辞出门，为她的下一场会见活动留出时间。在离开后，路上接到她的微信："刚在阳台上看到你的背影，想想那时你的背影才十一岁，而今三倍的时间都过去了。没想到你就真的这样走了，头也不回。"

④.0 矢量

一

不能回头了。生活毕竟是矢量。

高考的结束会给人带来一种幻觉，似乎既有的一切都结束了。即便一贯平静自制如章承，在看到住读的同学们将教材扔了一地，甚至有人在潮湿的宿舍走廊地面上点燃这些令他们痛恨已久的课本时，竟也曾涌起一阵破坏的冲动。他惊骇地注意到人们那种被压抑的内心在释放出来时所呈现出来的狂欢，在很长时间里都记得那堆熊熊的篝火。

在模糊而幽暗的夜色中，他靠在车窗上，等待着列车驶过南京长江大桥。江北就是一个陌生的世界，只曾在课本上读到过的城镇、田野与河流。他无法入睡，从车窗里努力去看外面黑魆魃的原野，但只看到灯光在双层车窗上的叠影，一个和自己一模一样的少年正与自己对视，由于不确定未来有什么在等着自己而面带着严肃的表情。这是一个通过仪式，他是那个受考验的年轻人，而她则是他的女巫。然而在分离阶段之后的过渡阶段看来是如此漫长，以至于他不知道最终的聚合阶段何时到来。一个再生的自我在前方影影绰绰犹如幽灵。

在离岛的时候，他最后一次去老街凭吊。小巷里的房屋顺从而冷淡，就像一排长在那里的巨大蘑菇。夜里，巷陌深处涌动着一阵温热的风，来自那个不肯逝去的夏季。那让他下决心要离开，仿佛留在这里只会继续深陷在那个循环论的时间轨道中，而远走高飞则是打破它获得矢量生活的唯一出路。他想过填北京大学的天体物理专业，或南京大学的天体物理。任何地方。任何地方。只要是在这里之外。

北京。在列车的咔嗒声终止时，迷蒙中终于看到这座大城。一座大城就是遗忘之地。不出意外，它和自己从书本中获得的印象全无相同之处。独自扛着行李来到这陌生的校园，一片老旧的二十世纪六十年代风格的教学楼在那里冷冷看着他，那时他觉得自己仿佛是火星上的第一批殖民者。

八月末的时候，陆薇薇住进了崇明中学宿舍，开始高复班的封闭式训练。想到这是自己曾梦寐以求想要进入而始终未能进入，如今却以这样一种方式开始在这里的生活，她有时不禁觉得愿望有时会以某种荒谬而扭曲的方式实现。

失败是具有腐蚀性的，深入脏腑。暑假漫长到不肯终结的地步，以至于连恋爱的兴致也完全提不起来；在各自高考失败之后，她和周重心照不宣地分了手，仿佛在旅途中偶然遇到并结伴而行了一段之后，平静地发现并无必要继续同行，仅此而已。

班上所有的人都是失败者，尽管这一点多少安抚了她的沮丧，但那种弥漫的低落毕竟也不是什么值得高兴的事。人们仿佛是一支被打散了的溃散兵勇临时以新番号拼凑组建的杂牌军一样，已将自己的羞愧深埋心底。虽然老师们谨慎地不去提及这一点，但每当他们说漏嘴去夸耀崇明中学的优异战绩时，就不免会触发她心底那根神经，仿佛那是特地说出来羞辱她的信号。座中的每个人仅靠鼻子也能在空气中嗅出那种气息：你们原本不配坐在这里。

最不堪忍受的是另一种联想：在经过这校园的任何一个角落时，她都不免会想起章承或许曾在这里停留。在以往他曾有意无意地说过，自己清早起来在南花园的紫藤架下读书，或夜里在土山的竹亭里默诵，这也变成了她现在触手可及的体验，然而那却没有他所声称的那种效果，因为她不可抑制地想到他当时在这里的样子。我忙着按照自己的想象描绘他，我一直把想象他当成任务。[1] 而他那时所有的课堂笔记也作为一份礼物沉甸甸地留在了这里，不知这算是好意还是恶意。一起去北京。她不能不想，他是不是因为自己未能兑现的诺言而有所失望。他已经呼啸而起，

---

1. 里尔克语，转引自纳丁·戈迪默《偶遇者》。

而自己却好像羽翼没有长齐的鸟儿一样，不得不继续停留在原地。她有一种说不出的害怕。

在离别之际，她去见了他最后一面。那天她特意穿了一身全新的米色套裙，甚至化了一点淡妆，倒不是为了别的，只希望这样能看上去稍稍精神一点，避免去渲染那种已有几分凄凉的气氛。她在赠给他的派克笔盒夹层里放了自己的一张一寸照，希望这次他不至于像上次那样，要花费两年时间才发现自己埋下的秘密，但过分直白则是她无法接受的表达方式。她不想去码头送他，那时高复班已经开学了，况且她也根本受不了这样的场面。会面只持续了半小时，再下去就将窒息。他保持着一如既往的平静，几乎令人怨恨，好像一个根本没有为明知道要开幕的话剧准备台词的演员，在她看来，他不知道能有什么办法可以让她高兴一点，甚至仿佛也懒得去想。

章承的第一封来信平平淡淡，她随即敏感地意识到他这封信并不是用自己赠给他的那支派克笔写出来的。不是，那不会是这样的墨迹，因为她用同样的一支试过。出于好意，她揣测行文的平淡只是他怕寄到家里被她母亲拆了偷看时不致落下把柄，又或是写了太多新奇经历的闲事而影响刺激到自己的复读。"所以你写这些不痛不痒的内容，如果不是这样，算我多心。朋友们都走了，而你走得尤其远，让我感觉你比以前更触不可及了。我甚至觉得自己不配做你的知交，因为我带给你的，仿佛只有不快和烦恼，但我却好像没能帮到你什么来尽尽心。"

第二封信仍是如此，叫她别多想，集中精力读书，明年还可以考到北京来。她不知道这算是什么意思，不过仔细想想，他仿佛原也只是照管着她的学习，与其说是一个朋友、一个同学，倒不如说更像是一个免费的家庭教师和心理医生——由于他那可憎的正直，他似乎对后面的角色更加得心应手，以至于她觉得自己被剥夺了抱怨的权利。她想要争取的只是一个似乎应属于自己的位置：确认在章承的心目中，自己被视为是特殊的，尽管她有时怀疑以他那种坚硬的理性，会很快意识到那仅仅是一种幻觉——他可能迟早都会发现，认为一个异性有别于他人，从来都是一种错觉。

"每次拿到你的来信我总有一种说不出的愉悦，心情也焕然一新。久不见信，就会胡思乱想。我知道你不会把我当作麻烦，但我却放不下自己。阿承，我知道在你心中，我毕竟平凡，但你也总不该把我的信夹在你的八封信里一并匆匆作答。我心里不舒服，便要性子和你提了。你还写点什么吗？说说你的新生活吧，如果你有时间，越详细越好。我总觉外地给人一种闯荡、新奇的感觉，如果有山更好，因为我们这个可怜的孤岛上，没有超过十米高的土堆。在我心里，真希望自己能考上你的学校，来年，做你的师妹。"

来读发动机制造专业的，大多其实也满腹牢骚。大部分的同学从未想到自己会来读这个专业，他们只是想读更热门的通信工程、信息控制之类专业时被刷了下来，不得已退而求其次。就像它的名字所表明的那样，"发动机"尽管重要，但却总是最不能显露的一部分，就像任何一个活人都不会敞开自己的内脏。

在夜谈时，宿舍里八个人彼此自我介绍，"蒋绍峰，湖南""刘正勇，天津"，当说到"章承，上海"时，有人"咦"了一声，嘀咕："还以为上海人都不愿意考到北京来呢。"章承在蚊帐里笑了笑。他心里想着，作为一个乡下人，从未想到在这里会人生第一次被视为一个上海人。

在最初的几个晚上，章承几乎总是在那儿平躺着，并不参与他们的讨论。学院的老师们讲到发动机气动热力实验室，讲到矢量发动机，讲到中国在这方面的落后，宿舍里每晚激烈辩论。海阔天空地谈。也有人谈量子物理和黑洞。他那时独来独往，以至于给人一种错误的印象：上海人的确就是这样落落寡合。他十分乐于利用这种地域偏见。

一直没有许燕如的音讯。由于她搬离了姑妈家，居无定所，他也不知信该如何寄到她手里。那时他第一次涌起一种感受：两个人在世界中其实是很容易失散的。直到一个多月后，才终于接到她的来信。

原来决定，准备不再给你写信，原因我想不必说了吧。但我是很可悲的，我觉得偌大世界，没有能倾吐心声的人。有些人是不值得信赖，有些人是不能说，包括你。我一向很心高气傲，也是极自私的。我希望付出的能有所回报，照常理，对你这丝毫不懂珍惜的人，我绝不应该这样，而我却仍执迷不悟地将你当朋友。虽然平常少联系，但总觉得你是常存在的，这是友谊吧，也只是这样说。从前是只可以这样想、这样讲，但我希望，七月你会解释的，结果没有，那么现在肯定是这样了。

你也知道我是极难相处的，爱要性子。我不打算告诉你学校地址以及名称，老实说，也许自卑，也许是想避免，也许怕失望。学校太小了，小到让人有一种压抑感，每次从校门走进来，连半点自豪感都没有。

那天晚上，有个男生叫我的名字，问我认识他吗，我以为又是哪个男生玩的老把戏，就不睬他继续往前走，他上前几步对我说："我是林诚，我们小学是同学。"我想起来，我厌烦这些男生的搭讪花招，可是我却曾希望你能那样，我并不是厌恶这种热情本身。

有事多向你父母讲，他们会尽力帮助你，父母毕竟是父母。

然而，信没有落款，也没有地址，无处回信。在幽暗的夜里，他睁着眼，回顾了一下过往的轨迹。仿佛在时光中旅行了太久，需要梳理一下日程。旅行让人变得迟钝。他想起了许多过往，然而在他们之间，没有瞬间，只有长时间和远距离。激情在爆发出来之前就被抑制住了。真像是老年人之间的爱情。

五天后，他收到了一个陌生女子的来信，她叫韩敏，湖州人，自称是许燕如的同学，想和他交笔友。此时他已变得相当多疑，但如果她说的是真的，那么至少他由此得知了许燕如所考上的大学——的确是一个二流专科院校，这或许就是她迟迟不肯联系的原因，虽然她在八月的电话里就已经知道了他在大学里的通信地址。

在半年里不咸不淡地通了两封信后，韩敏放弃了这个无聊

172

的游戏。她向他承认，是许燕如央求她来写这样的信，原因只是"许燕如很想知道你的情况，可她只晓得给你写信，却没有勇气告诉你她的地址，所以才叫我来做中间人的。"她说，许燕如在学校里很优秀，大家都很赞赏她，然而，她看着是一颗恒星，其实是月亮，需要借助你的光亮。她单独的自我是不完整的。

虽然韩敏其实是想邀请他参与进来，但他的直观感觉却是：那是一个自己被排除在外也无法触及的世界。对于这样的把戏，他感到有几分愤怒，但更多的是觉得索然无味。他对她一贯的口是心非几乎感到厌烦，虽然她自己是更大的受害者。他不能理解一个看起来远比同龄人成熟的女孩子，为何会做出这样幼稚可笑的事。他忽然想起，高中时她的同班同学孙砚红那莫名其妙的来信，看来也是相似的情况：以交笔友的名义来做间谍。想到这一点，他怒火中烧，这种打探几乎是对他的公然侮辱。如果是在上海，他差不多就想冲到她面前去当面质问。

然而他并没有在信上质问什么，只是断绝了和韩敏仅有的通信。无法言明的感受是：在他看到她软弱和幼稚的一面时，隐隐感到的是失望。由于他可以料想得到的她那种不可逆转的固执，他对两人的沟通模式产生了新的绝望情绪。还是不要有期望的好。每一次期望到最后，都会带来失望。以前他厌烦的宿命论，此刻成了救赎：他愿意相信，有很多事已经命中注定。

生活就这样平静了下来。起初的一两个月，章承并不习惯北方的生活，空气太干燥，有些同学睡了一晚起来甚至都会流鼻血，不得已夜间宿舍里都要在床底下放一盆水，以保持房间的湿度。食堂里也没多少汤喝。这里的高亢、干燥和内陆性，和他之前在那个看起来随时会被潮水淹没的小岛上的生活几乎是两个极端。不过他喜欢这一点，不仅仅是"不一样的体验"这一点，他怀疑自己或许内在地就具有某种受虐的倾向。

深秋的周末，他独自去香山秋游，那里有明亮的蓝天。那真是北方的蓝，和南方的蓝截然不同，有某种嘹亮的调子。他拜托人给自己拍了一张在树下望着远山的侧面照，洗了三张，分别寄赠给许燕如、陆薇薇和在南京的赵震。

令人惊诧，有时候他还会做梦。梦见在上海，一个陌生的校园中，一场陌生的考试来临之前，他与许多高中同学在草地上邂逅，但他们都已不认识他了，他奇怪中去照了镜子，发现镜中也是一个陌生人。

在热力学的课上，那个戴着杯底厚眼镜的老师说到了热力学第二定律，即熵定律："物质和能量只向着一个方向，也就是从可使用转变成不可使用，或从可利用变成不可利用，从有序变成无序。"这一点，章承在初中时就知道了，但直到此刻才触发了他新的感受：他第一次意识到，感情（或他不愿承认的爱情）也是一种熵——在质量消耗的过程中不可逆地变成热能，虽然不曾消散，但无法再回到过去，而只能以达到某种永久沉睡的热寂状态告终。没有比这更悲观的哲学了。而这居然是科学。

回岛前夕，他接到陆薇薇的信，信封上倒贴着邮票，他不知是何用意。她总是喜欢使用这样的暗语。"我念书的时候，你大概已经回来了吧，来看我吧。你的归期我也不想问了，见到你时，便是你的归期。"

第一次从异地回岛，他对它的看法发生了潜移默化的改变——原先熟悉的事物变得陌生了，而原先陌生的事物却可能反而变得熟悉了。那既令人感慨和高兴，又令人恐惧，因为这让他想起许燕如。不过，他内疚地意识到，不论如何，在之前的三年里仅有的两次会面，好歹每次也都是她回岛来，而不是他去上海找她的。

他在家休养了几日。时近春节，作息都变得按阴历计算，以至于那天去见陆薇薇，落座时看到墙上的挂历，他才注意到这一天是情人节，这个突如其来的发现顿时让他浑身一阵不自在。他不知道该如何向她解释，自己并非是特意选择这一天的——然而这种解释本身不仅多余，而且更加令人尴尬。他并不是不想要见到她，她应该就更是了。敲门时，里面女孩的声音问了下："是谁呀？"他应了一声，继而听到一阵欢快而急促的脚步声，她半开了门，微嗔说："怎么才来？"他凝神看了她一眼，略略憔悴了些，眼神中放射出光彩。那一刻他心底里冒出一个不敢公之于众的想法：她知道自己其实很美吗？

她去拿了两枚芦柑，但他掰开来才发现自己这一枚已坏了。"我分一半给你吧，"她说，"我懒得再去拿了。"落座说起高复班的事，他用一种家庭教师安抚学生的过来人口吻说："你就安心读吧，再过半年，上了大学就自由了。"

"但愿吧，"她低低地说，"这一年真正是浪费时间。我有时也拿自己毫无办法，有时，我觉得自己活得太累，很矛盾。我真的很不喜欢自己。"他那时想说点什么，甚至生出一种冲动，想要去握着她的手安慰几句，但还是什么也没做。

蒋春雨考到了桂林，在那里游山玩水，十分愉快，照片寄了一大堆，而写信则越来越懒。他情不自禁地想到自己给她写的信，虽然频率上只略为减少，但每次也都是那样精确地保持在一种刻意的乏味陈述上，几乎自己读来都像是打印出来的，仿佛她是一个抑郁症患者，因而自己所写信件上的每个字都务必字斟句酌以确保不会引起她的任何情绪波动，以免造成追悔莫及的后果。

"你在大学如何？学跳舞了吗？"她小心翼翼地问，这可能是一个迂回的问题。

"没有，"他说，"我从来没有这种怪癖。你知道我是一个极其枯燥乏味的人。"

那天她说，三天后，小年夜会有一次初中同学聚会。果然，小年夜一早就有人来敲门，他以为是陆薇薇，开门来一愣，是个高大的男生。

"不认得了吗？我是林诚，我们小学、初中都是同班。"

三年多不见，林诚已发生了巨大的变化，从一个个子矮小的男生变成了近一米八的高个，难怪许燕如信上说起那次邂逅，想来他因此而喜欢叫人猜猜他是谁，仿佛刚刚获得了一个新身份的整容者。

林诚一见面就说："你这个哥哥不合格呀！"章承有几分莫名所以，听他往下说，"许燕如回乡下四五天了，你知道吗？她来找过你两次了，说你都不在家。"章承"哦"了一声，客观陈述说："她是我表姐，大我一个多月。""是吗？我怎么记得你比她大？记不清了。"林诚说，"不过许燕如说你性格没怎么变，比如，她说，你还是在用202墨水。"

在去东城中学的路上，林诚说起一早去教室看过，只有陆薇薇等四人在。每人掏了十块钱，买了点零食布置了下会场。一路骑车过去，微微地下起春雪来，渐渐地越来越密，到黄昏时，积雪已过了鞋面，西风栗烈。

到聚会的老教室，还是只有六七人，有一位同学已经去商场上班了。章承喃喃地说："上班？我怎么觉得这词那么遥远？"几个人望望窗外，有点寂寞。陆薇薇叹了口气说，人来得这么少啊。章承问，你原先准备多少人？她指着周围一圈排好的三四十张桌椅说，原先准备这么多人。她想了想说，也许是因为下雪了，有些人来不了。章承问，你们是怎么通知的？陆薇薇说，就写信啊，五天前我们三个女生在一起写了许多信，一起投递的。章承苦笑了下说，那恐怕没用吧，至少我就没收到。见他们面面相觑，他又补充了一句：邮局是可以一天之内把信送到村里，但有时村里要过十天八天才把信给到本人，估计很多人根本不知道。邮递之神一向变幻莫测，那是有前科的。

他又转头问陆薇薇："发起人是谁？是你吗？""是赵娟。""那她怎么没来？"旁边一个女生掩口笑起来，陆薇薇踌躇了一下解释说："她忙着呢，正月初六要结婚。"他一惊。一问才知，好多人都订婚了，甚至出嫁、抱孩子的也有好几个人。章承叹了一声说，她们都好性急。旁边一位女生插了一句："啊呀，跟你不一样的，女生有些一毕业就踏上社会了，在商场里当营业员，整天有人说媒，加上父母逼婚，架不住的。生活可不就这么回事嘛。"

那是他第一次深切地意识到，每个人都在按不同的时间节奏生活，而且这种现实生活是如此近切，不像他以为的那样，远远地排在伊甸园般的校园生活后面。就像梭罗说过的，如果静静地观察，你会发现每个人都在拼命活着。和大学乃至高中同学相比，初中同学的成绩相差更悬殊，更不可能在同一专业，因而他们的分布范围更为广阔，像一个个大大小小的星体，星罗棋布地散落在无垠的空间里，彼此只依靠微弱且时断时续的相互作用力维系着。

他有一些感慨，但仿佛淤积在喉咙口，也不知如何表达出来。旁边有个女生笑他："章承还挺怀旧的。"他笑笑："朋友是旧的好。""嗯，我们都料定你肯定会来的。"

本来他们说等雪停了再去吃午饭，然而雪一直不停，竟而越下越大。到黄昏，雪势才渐渐小了。陆薇薇系好围巾，穿上雨靴，和章承各抱一个组合音响，在大街上慢慢走回家去，那原是她从家里搬过来的。暮色中还在微微下雪，天际有点发亮。她叹了一声说："真没想到，想来想去定在这么一个日子。"

"难道不是很好吗？你很会挑日子，"他转头向陆薇薇说，又补上一句，"我不是讽刺你。"当然不是，他甚至无须做这样多余的辩解。

路上问起有没有通知班主任唐老师，她摇摇头："没有。我不想告诉他。你还记得吗？那次李莉的生日会，我还被他狠狠批评了一顿。凭什么那时把我们说成那样，说得我们好像真做了什么见不得人的事似的，为这，我一直不能原谅他。"

他在路口的法国梧桐下站住，想起来一直没问她的一件事："那次李莉的生日聚会那么多人去，你们为什么没有叫上我？"

"你为没有陪着一起挨骂而遗憾吗？"她嫣然一笑，凝神看了他一眼说，"因为我们几个女生都觉得你不会愿意的。你难道不知道吗？你有那种少年老成的严肃，虽然不是从未大声说笑过，但与你相处却是开不来玩笑的。真的，你那时正直得到了令人反感的程度。"

后来有一年夏天，是的，应该就是大一结束的时候，陆薇薇的第二年高考成绩还未放榜，并不知道自己将要去上海读两年书，不过她已熬过了最苦的时候，考完去玩了一趟。她并没有解释为什么不是去北京玩，他也问不出口，可能是因为那时他学期尚未结束，仍在紧张的期末考试中。无论如何，他们事先没有约定，但在回岛的渡船上，他们不期而遇，就像早些时候在人生旅程中屡次发生的那样。

黄昏凉爽的风从宽阔的江面上吹过来，从候船室到渡口还要走上长长的一段。栈桥外泥泞的浅滩区域中，海三棱藨草和互花米草在它们生命中为数不多的夏季里挣扎生长。从这里远望过去，渡船在夜色中就像一只蹲伏在水中的巨大海兽，目光如炬，载浮载沉，吞吐着江海汇合处咸淡参半的潮水。在去登船的路上，她看上去心情好多了，让他冒出一个念头：高中加高复的这四年，对她而言就像患了一场缠绵的慢性疾病，现在才算初愈，略略康复回到早先那种活泼的精神状态。

回岛时，他买的是三块钱的散席。为了省钱，同时相比起乌烟瘴气的船舱，他也更喜欢甲板。在夜色中，他凝视着漆黑的江水和白色泡沫，一言不发。过了一会儿，她也过来和他一起倚靠着栏杆，相隔尺许，仿佛一对不知如何宽解对方心事的夫妻，默默地随着渡船轻微颠簸。那时一切都还未明，她想最好也能考到北京去，但对此并没有什么把握；而如果不能，这几乎是需要向他道歉的一件事，虽然她知道他决不会接纳这样的道歉。

她迟疑了一下，问："你和许燕如还有联系吗？"他抬头凝望了她一眼，她以为他是想从她眼神里看出什么来，于是加了几分坚定的神色。

"有，时不时会写信，"他继续看着江水，"但感觉她越来越固执。不过，很可能在她眼里我也是这样。"

在渡船上，他听到含混的澎湃声，起初以为是夜色中长江低沉的奔流，定神听下，才知道是自己的血液在血管里流淌的声音。毫无疑问，记忆也是不能重涉之河。在这条中国最大的河流入海口，在夏夜星辰无私的照耀下，他感到安详和漠然，仿佛任由那艘大船向一片未知水域驶去，而他不挑剔任何可能的目的地。尽管航向是故乡的那个小岛，他却觉得那是一片陌生的永无岛。那时候他明白，岛屿实际上是一种精神状态和生活方式。毫无疑问，一个人就是一座岛，一个星体。

他抬头看看水面上忽明忽暗、若隐若现的星辰，想到不知从什么时候起，他和陆薇薇逐渐变成了彼此生活中的暗物质。和许燕如自然也是，甚或更早。

二

第一封信：

抱歉这么久才写给你。我到上海后大病了一场。真想把所有的烦恼、所有的寂寞、所有的不适应都告诉你，真想把它们都抛给你。可是那样会一发不可收拾。我也不希望你看到那样的我。

在北京第二年了，你应该自如多了吧？答应我，有空多给我来信。薇儿。

第二封信：

你那里学习怎么样？业余生活丰富吗？有没有较谈得来的女孩子？挺挂念你的情况，无奈信总不来，只能来信相询。

在这种醉生梦死的生活中，值得醉的借口多了，小小的事情都值得一醉，然后趁着酒兴，说些平常不能说的话。孟树龙对我讲了些不该讲的话，无非老话重提。混混沌沌说了些莫名的话，我想或许你能看懂的。

有空来个消息联系下，多年朋友了，怎么说也是至交了，是吗？

不署名，会知道我是谁吗？

第三封信：

对你我是很信任的，所以你若不回信一定是有别一种原因，而非不想给我写信。那天课堂上老师说要大家取英文名，他们一致要叫我 Grace，意思是优雅温文，他们是这么肯定，我却怀疑我是否真是这样。

我过得不错，就是不满意自己，两年时间会很快，有点不知所措，真不想去想未来，就这样活着，今天只想明天的事。我已很难找到早先的快乐，那种畅快的笑，好怀念。记得自己也很久、很久没有非常开心过了。也许是缺了个志同道合的伴，也许是我越来越懒，连写信都省了。一个人真是寂寞。薇。

第四封信：

我很烦躁。爸爸陷入了一场莫名其妙的官司，我们一家又得被迫从新居搬出去，我已经受够了这种颠沛流离的生活。虽然我期望他总有逆流而上的本领，但上天未免太不公。很多事你不会明白。爸爸的一个同事最近在追求我，我很厌烦，但他却又是我后妈的上司，难以罪。和你说这些，有时就觉得像在对一个树洞说话。迁就我这个朋友是不是很难？莫名其妙地说些听不懂的话，有些事根本不适宜和你说，又找不到什么人说说，我保证以后写了也不寄了好吗？

我一向不缺朋友，只是我自己不愿与他们交往。你不必宣誓不会忘怀，你看，这就是你自负之处，你以为你有高人一等之处吗？你以为我们这么担心你会忘了我们吗？只不过也许人总是会有那么一些说也不能说，忘也不能忘，没有开头，也没有结尾的故事。又是谁告诉你，我回来是为了见你？我去的那个地方，有我太多的回忆，有的已经褪色，有的更为鲜明，但那都已经和你无关了。

我现在觉得你的信根本没什么值得回的，处处有一种自负的傲态，文笔也太世故。如果说以前的信看起来较心平气和，如今的信看后似很空洞，看完后根本不清楚你究竟写了些什么，为什么写。

第五封信：

不是节庆，也不是生日，只是想起。一直把你置于很高的位置，这点你不用怀疑。想起高中三年，你是我的精神支柱。不开心的时候，首先想到给你写信，而你总能及时回信，让我心归平静。你高中几年对我的关怀，我是无法表达的。

记得你第一次送我的圣诞卡上有一句我欣赏的话：可以不在乎圣诞，但请在乎快乐。不知为何，今天很想把这句话送给你。薇。

第六封信：

在我的生活中不需要怜恤，也不应埋怨，有的只是承受。

我几乎被每个人认为很快乐，也许是应该快乐。在学习上，在工作上，我步步高升。在生活中，一度有多达二三十位男生的追求。

你说想见面，见了面之后或者说见面的那一刹那是我所恐惧的，我不懂得为什么，只是觉得那么长时间不见面了，忽然见面，你说会不会陌生呢？这是我所不愿的。我只觉得远近之中没有一个是了解自己的人，包括你——杳无音信的你啊，杳无音信的你！我记得已经好久没有收到你的信了。

为什么你那么断定我不会来北京呢？或许哪天我想你了，冲动了，不就十几个小时的火车嘛，又不是隔着两个世界。再见章承，我知道什么是友情，无论以后怎样，我希望我们在满头白发之际，还是彼此的慰藉。

第七封信：

很想早点给你写信，但实在是早不起来，这点你应该知道为什么。我不知道怎样解释我们的现在。一直把你和春雨视为我的知己，高中三年其实在精神的支持上我更偏向的是你。但这次冬季回来，我和春雨依旧如初地有说有笑，我们什么都谈，我依旧能轻而易举地听懂她哪句是开玩笑，哪句是跟你说正事，哪句是话中有话，而面对你，我不知怎么会选择沉默。距离的原因是客观存在的，但我还是明白确实是我变了。我已不想用我的嘴表达什么，我变得越来越懒，懒得搭理人，懒得去思考未来，思考生活。

其实，有很多你我是不相同的，比如对学习、对生活的看法。我现在大学里没有一个知心朋友。但我一点也不寂寞。现在他们想和我交朋友，我也没这份兴致。我对友情和爱情要求比较高，我要求它们绝对纯。其实一个人是一种幸福，你可以睡睡懒觉，实在没事可以看场电影。如果不是我先前乖乖的性格，我想我还要松散。阿承，你是否真的了解我？如果了解，请告诉我，我究竟是怎样的？我很温柔吗？但我很容易生气。我很沉默吗？但我有时候说话兴致是如此之高。我很懂事、文静吗？但我喜欢逃课，作业拖沓，顶讨厌开会。

阿承，回想起来，先前我们是在礼貌地交朋友，真是如此有礼，不敢越雷池一步。我从没有在你面前暴露过不好的一面，其实我有很多缺点，很多怪脾气，但我喜欢忍，我能藏得住，这和我内向软弱的性格有关。我有一种奇怪的感觉：一般人际交往都是从陌生到熟悉，而我们，如果从高一我给你写的第一封信开始，那时就是熟悉的，可越到后面反倒越觉得陌生（或许不该用这词）了。我很想改变我们的陌生，但不知该怎么做。薇儿。

第八封信：

不是我看定你的脾气，你这个人看样子这一生都会是这样的人了。你说你想我吗？我可没怎么想过你。追求我的男孩子不少，我每天考虑是否答应他们的约会还来不及，怎么会有空想你呢？不过心情不好有人陪着真好。

我说表弟（是堂弟还是表弟？我一直没搞明白）我想找个男朋友了。我的男性朋友很多，但男朋友还没定下来，别人都有护花使者，我一个人太无聊。我们知己好友了那么多年，我就首先征求你的意见吧！其实我爸是不会同意的。

你问我一切好吗，我回答你：不好。我很烦，心情很糟。也说不出为什么，在想到以前那段日子时竟有些模糊，印象清晰的有一个人，但你也知道那不是你，虽然我一直不愿承认世上真有所谓伤心失望到无法弥补的地步，但不可否认你那次使我很失望，下意识里埋葬起所有与之有关的记忆，恍惚中我似乎又在等待什么，说不清楚。现在有种老僧入定的感觉，觉得什么都不想去想，说到什么谈恋爱，其实也只是想找个感觉，找个被人需要、被人重视、被人紧张的感觉，人不就不可避免地这么过的吗？女人就更是如此了。

第九封信：

一直以来，心情不好时，第一个倾诉的对象便是你。而你的回信总能让我得到一种意外的领悟而由迷茫变为踏实。但有时我却又害怕你的这种敏锐，常私下认为你了解我要比我了解自己更多，在你面前我怕不能有一点虚假，幸好我并不太会做作。

给你写信是一种快乐。去年九月刚到上海时，深夜里每次想起过去的一切，想起春雨和你，我常会情不自禁地眼泪盈眶。对我的这种生活，我常常想能疯一下该多痛快，我真想疯，疯得痛快，疯得淋漓尽致。可我的矜持和软弱，每次又都把自己管住了。不多说了，老听我倒垃圾，你会厌烦吗？薇儿。

第十封信：

我早就知道了你的心思，只是没听你亲口说出，有些不踏实。还在十八九岁时，收到你的信，总是很欣喜。骄傲的我不肯向你承认，我一直期盼着你的信，因而只有等。收到你的卡后，所有的兴致都淡了，因为我已没什么可等了。

一年复一年，很多年的事了，只有今年我多么不情愿将心底这份最真挚的祝福送出。我觉得不舍得或许是最不值得，究竟是什么感觉，说不清楚，也不想区分它，别让我如此失望。我们少说也能称得上是知己一档的朋友，怎么样也应该付出点感情。

在我们之间谈论男女之情似乎并不是很恰当，有些说不出的不舒服。但我绝对配得起你，我不自卑。你有时自视太高，将我想成可怜的受予者，这让我受不了。曾经，心情极坏的时候，我想去找你，知道你绝对会庇护我，对于这一点我毫不怀疑。有一次在我姑妈家，我心情很坏，就想问你可愿娶我，我永不想再面对社会，躲在你身后过一辈子也就算了。可是从你那里似乎听不到回应。没有柴木添进去，再沸腾的水也会冷下来。有时我自己也怀疑，或许我对你的情并不一定是男女之情。

终于你对我说你喜欢我，可是你也明白，这话我已听得太多，厌倦了，固然从你口中说出还是能让我心动。我发觉我似乎喜欢看你的信而不愿去面对你。出外读书多少使你实际起来，我会早些告诉你，不会让你在我身上浪费感情的，毕竟不管我是怎样一个人，我变成什么样，我总不会玩弄你的感情，我还记得你是谁！但我也不会再傻得想对你说：阿承，娶我吧。再不会沉溺在你含糊的言语所编织的网里。似乎你感觉我并不好，想对我说或提醒我别太天真，我的确期盼你说这句话。以前写信对我来讲是种享受，就找着机会、借口写信给你，可现在，我都不知写些什么。我说的话够多了，再说下去，我自己都不明白自己在说什么了。

第十一封信：

因为忙于考试，所以没有及时在你生日的时候给你寄卡。但你生日那天还是从心中为你祝福了。我不知道你是否介意我这种无形无影的礼物，也是否能自信我还记得你的生日。这或许也就是地理的距离。但我从来不会忘记，因为你和我爸是同一天生日的，那天给爸爸打电话时，我曾有一种冲动，想给你也打一个，那不完全是为了让你高兴，我想自己或许也会高兴一点。但最后一刻我还是畏缩了。

我现在生活过得不好，从某种意义上说是在浪费青春。今天心情不好，又看了一遍你的信。很想做好几件事，但我什么都没做成。日子是很没意义的，但我只能这样活。哪天当我现在所拥有的也逝去时，我便是一无所有了。有很多事情真的很无可奈何。想努力去做事时又是这样的不坚决。这种性格终将让我失去很多原本应该值得去争取的东西。当岁月匆匆流逝，伴随我的是一次次的后悔。

对于有些事我实在是搞不懂，我不知道到底该不该像现在这样，但我又该怎样？阿承，我知道你或许看不懂我写的内容，我只是想对一个熟悉的人说几句话，不要在意。薇。

第十二封信：

我病了。病了好多天，总算好了些。你也知道我常会生病，不是积郁而成便是体弱所致，唉，我被折磨得快崩溃了。

谈起五年前的你我，我觉得好小好小，直到那一度迷失自我的痛苦日子之后，我才完完全全蜕变成一个大人，身心都成熟的大人。原来我的心思好单纯，好小，只有母亲和你。可是在一场雷雨过后，我失去了一切，失去了依靠，母亲和你都不见了。现在我生活在空白的世界。我终究是个凡人，终究逃不过凡人的七情六欲。也终于在众多情书中捡起了一封，我交了一个男友，总觉得他好像在依靠我，渐渐又疏远了。

钱老师很器重你，不止一次讲起你的好处，其实你的好处我岂会没她知道得清楚？那么多年下来了，你的好坏我都了解，因此我可以在你面前尽情地使小性子，口出狂言而不怕弄巧成拙，令你生气。我有时倒是盼望你能生气。我都想不起来你生气时会是什么样子。我太了解你，你永远能包容我的一切。可你最让我厌烦的也是这一点。

我这次回岛见着你父母了，只觉得有些难堪，勉强打了声招呼，第二句也就没有了。你信中的燕子比我好多了，现实中的我专横无理，你又不是不知道。从小你便纵容我，似乎为长的是你，而不是我。

唉，难道我不回信，你就不能再写信给我了吗？我多希望能看到你的信，我只能翻看以前的信。我这人挺开朗，可又极其自我封锁，独处时郁郁不乐，久而久之影响了我的身体。给我来信吧，章承。还有，记住，不管多么想承认你的那些女生有多好，多优秀，但别在我面前提起，我可是一个小心眼的人，见不得你说别的女孩好。尽管我知道她们的确要比我好。其实，我是个很甘于在别人的庇翼下生活的女子。可是，我该躲在谁的屋檐下呢？谁又愿意让我容身在身后呢？

第十三封信：

我是感性的人，也容易钻牛角尖，想当初认定了你是了解我的人，故而什么困难都要从你处得到解答，特别是高复一年，你所给我的鼓励和帮助是让我感念不忘的。

阿承，不知为何我发觉我们之间疏远了，或许是我对你有误会。你的来信多言及的是学习，大学生活绝不会仅是学习吧，你是否想用自己做榜样来鞭策我？四级、六级，我讨厌别人老是在我耳边谈及。别人说得越多，我便越是逆反，越听不进去，越觉得可恶。即便在那四年里，我们相处的主要（如果不是唯一）内容是学习，那么上了大学还需要这样吗？

我现在极想一个人能独立地生活，有属于自己的空间，有自己的朋友，有自己愿意做和不愿意做的自由。我弄不明白，为何我亲近的人都成了我的烦恼。很希望能不在我家里而在一个空气清新的地方与你交谈。薇。

第十四封信：

气死我了，你究竟怎么了？我写信要你即速回信，我已经非常清楚地告诉你，我身体不好！但你为何不回信！等了两个多星期，信是来了，但却更令人失望。你口气不太好！你以为我是谁？用那么冷淡的口气和我说话，好像什么都没发生似的。我不想再多说什么，你不觉得你有些不公平吗？你说你很累，又是我的错吗？

你不愿给韩敏写信，与我没多大关系，我只是告诉你有同学想和你交笔友而已。你有什么好自傲的？我不想知道你什么，你的一切，你的一切的一切，都与我无关，你一切好与不好，我都放心，我操什么心呢？横竖有你的兄弟，有的好兄弟在替你操心。我身体不好，也不劳你操心，怎么样也是我自己的身体，也不干你什么事。

第十五封信：

遥祝你圣诞快乐，等你回来面谈。薇薇。

第十六封信：

节日的氛围，分外怀念老友，不管曾有过什么不愉快，总得送上祝福。不过，账还是记得的。圣诞过后，直到哪天你赔礼道歉后再做考虑。

第十七封信：

阿承，一直没有好好和你谈谈，但每次在我最不开心、最烦恼的时候，首先想到的便是你。几年下来和你的接触，总感觉你是了解我的，即便你现在不是很了解我，但对于事务的处理，总相信你是最能除却我心中乌云的人。

其实今日有很多倒霉事，我知道这些都是小事，但所有的小事加起来便让我觉得要崩溃。现在，我多想买几瓶酒，一个人躲在屋子里喝。直喝到不再有理智便能不想现实生活。我不知该如何面对未来的生活，曾记得以前跟你说我宁愿一辈子在岛上，恬静、慵懒、缺乏竞争，然而我现在又觉得我们所爱的岛是这般落后，我受不了这种信息的滞后和人的愚昧。我现在是喜欢上了这座现代感的城市，但我又好害怕这里的竞争和压力。每到这恐惧和无助的时候，我的第一反应就是想逃避。

有时觉得自己有了好多的朋友，我甚至有了男朋友，但走在人群里，走进宿舍，我仍然觉得自己很寂寞，很无助。觉得这世上没有人能了解我的心事，没有人能真正排除我的烦恼，告诉我该怎么办。阿承，现在好想和你聊聊天，喝杯咖啡，说说我的心里话。薇薇。

第十八封信：

生日快乐！四月份的两桩心事总算落实了，转正报告也写了，生日祝福也送出了，总之心里轻松了。你似乎也该写封信给我报平安了吧？

对你我简直无话可说，说你笨吧，书也读了那么多；说你不笨吧，也真呆得可以，我现在连生气也懒得生。

我们认识了这么多年，我的确知道你不会忘记我的生日，可是，你是否知道，不只有生日那天，我才是个有感情、渴望人关怀的人！我也知道，其实很多事都是我一手造成的，怪不得别人。我太好强了，不愿意被别人轻视，更不要说忽视，因而往往把事搞错。感情生活也是如此，我不要自己被漠视，而你偏偏习惯于用很淡、很听之任之的态度对待你和你身边的事情，像是一个不愿意和周围事物起化学反应的惰性元素，即便对我也是如此。难道我是一棵树、一架机器？恐怕你现在看星星时的眼神都更像看着情人。我不能习惯于你的逻辑，不能承认自己应受这样的待遇。即便待在你身边，好像也感受不到你散发出来的热量，难道你的热量已经早早燃烧殆尽了吗？而我甚至都没看到它们燃烧过。

三

相别两年半后，他又一次见到了许燕如。如果从那场决定命运的大雷雨算起，那就是四年半来的第三次。许家在县城买了一套新居，只是尚未装修，新年回来暂住一阵。章承那天午后过去，吃了闭门羹，揣想他们或许还未吃完饭回来，于是先去江堤上徘徊良久，估算时间大体差不多了再过去。

相见的一瞬，许燕如露出既惊且喜的神情，但立刻恢复了常态。屋子里十分凌乱，只比毛坯房略好一些。他第一次看到许燕如的后母，一个看上去慈和的中年妇女，用西北口音的普通话殷切招呼他。在许燕如的房间屋顶，悬下一顶绸纸编花，午后的阳光透射进窗户，让两人都在一阵暖意中沉默下来。她觉得有些冷，去灌了一个热水袋，焐了一会儿，她问："你冷吗？也来焐焐。"他摇了摇头。在他的道德观里，在没有明确关系之前，应避免一切肢体接触，一如在新婚之夜前应克制自己的性冲动一样，仿佛碰了一下手就是向她发出了负责其终生的明确信号。他视线滑落，看到她修长的双手在热水袋上摊开，继而看到她的手指甲上残留着一些看起来廉价而过分鲜艳的红色指甲油。

在冬日的阳光里，他利用几分钟的间隙在心底里默算了一下，从相识至今，已有整整十年过去了；那几乎像是在暮年回顾早年的情事，有一种不堪回首的气味。

他说起有次见钱老师，"她似乎印象中总觉得我有些不合时宜，有些呆气。"许燕如笑着点头，附和道："你上次写的信，太深奥了，她反复看了几遍才明白什么意思。"说到这里，她顺势开始进攻，"钱老师说你不了解我。"他沉默了一会儿，下出防守的一步棋："关键是你怎么觉得。"她抬头看看窗外，毫无撤退之意："我觉得也是。"

那是一种责备。钱老师也曾当面责备他不够主动，看上去太冷漠。这甚至让她也为难，因为当她有一次向许燕如说项时，得到了坚定的反驳："钱老师，他可从来没这样表示过。"在转述时钱老师质问："你为什么怕说？"他其实也不知道，未必是"怕说"，但他承认对许燕如有一种"说不出的感觉"。钱老师点点头："她就是不喜欢你这种感觉。"

他明白，她就是希望听他亲口说出"我爱你"这三个字，但他说不出口，以他的严肃，说出这样的话简直值得恐惧，何况他始终不能确定自己这样是否心智已足够成熟到了足以承担这一庄严的约定。当时他也没意识到，自己对"爱"的理解与许燕如并不相同。有人认为爱是性、是婚姻、是清晨六点的吻、是一堆孩子，也许真是这样的，莱斯特小姐。但你知道我怎么想吗？我觉得爱是想触碰又收回手。[1]

当时他从未理解，阻碍他们之间关系破冰的重大障碍之一，竟是他自己过高的自我道德约束。对他而言，那三个字是结束语，就像经过激烈竞逐之后宣布获胜消息，他不明白，对许燕如，以及或许大多数女孩子而言，那却是宣布一段关系正式开始的发令枪响，是一个完全不同的仪式，获得了这种保证之后才能安心往下继续。他也不大能理解，在事实俱在、彼此也都明白的情况下，为何非得要说出来才安心；甚至还觉得一阵索然，这就像本来他想在时机适当时自愿送出一件礼物，然而对方却提前来索要了。要经过几次感情的波折组成的教训之后，他才能懂得：开口说明白，即便无趣，但付出的代价的确会较小，甚至有可能是最优策略。

她看着他说："我本想今天早上走的。我回来六天了，已等了你很久。"他苦笑："好在我这次没在上海多停留，早回来一天。"她一如既往地得理不饶人："应该说好在我多等了你一天。"她看了他一眼，叹了一声，"你总是让人等。好在我习惯了。"而

---

1. 引自塞林格的《破碎故事之心》。

他觉得，这么多年过去了，她仍未学会忍耐。

北窗上蒸汽成流，外面的城市天空有些阴灰。她说最近事很多，"烦死了"。寒暄了一阵，她说："我有句话说，叫还了钱，钱和朋友都失而复得，你懂吗？"他苦笑："不懂。"她靠墙不语，过了会儿说："我去泡茶。"一会儿泡茶来，她又问，你知不知道我为什么廿七那天先到外婆家再回自家？他说，知道。她幽幽地说："你知道什么？你总是装作知道，难道不懂装懂对你那么重要？"她转身靠墙，似乎有泪盈盈。

他不知如何应对这样的场面。他不是不能理解曲折的表述方式，但既有的经验告诉他，这种复杂多解的表述，一旦猜错答案，后果可能比承认自己不知道更严重，甚至亲眼看见她口喷硫黄的奇迹都有可能。如今和她对话时，他必须小心翼翼在她话语的丛林中摸索着找出一个线头，但有时这个线头却是个谜语，甚或刚找到又消失不见了。这是一个棘手的征兆：他们之间言语繁盛，但却无法抵达内心。

对这种猜谜式的相处模式，他几乎感到尴尬，但这次重逢，他奇怪地发现自己面对许燕如已感觉不到疼痛。他自己并不知道，很久以来，他一直期望时间来解决所有问题，甚至拖延到它们都为时已晚，尽管他自作聪明地认为为时尚早。这一点倒和许燕如相似，她在潜意识里似乎也相信，只要她愿意温柔一点，一切都还来得及。

二人沉默良久，只是吃瓜子。她忽而展颜说，下棋吧。还是她有办法。像当年一样下围棋，这是缓解尴尬局面的有效手段。

196

他输得多，那是不足为怪的。近黄昏时，他先告辞了，不在别人家里吃饭是他的交际原则，差不多是十诫之一。她说："吃完晚饭再走吧。"他说不了。她软语央求："可是我今天心情好。平时她在我就不高兴。""她？"他一怔。"唉，你真笨。"她抛来一个眼神。

他还是坚持辞别了。外面整个世界的光芒正在收敛，仿佛这座平均海拔仅有三米多的岛屿正在慢慢浸入黑暗的水面。她有几分怨怪："你干吗这么急?! 现在也没天黑。""快了，"他抬手看看表，"报上说今天是 17:29 日落。""这你也记得住？""这不难记。读过一点数学史的人都知道这个数字[1]。"她看了他一眼，叹了一声："你真的还是那个样子。无可救药。"

送出一个路口，她停下脚步说："你怎么不叫我留步？难道你以为我会一直送你？还是你期望我这样？"他一板一眼地说："讲了，你没听见。"

走出很远，回头看看，她一直站在原地。再多一点时间，可能会变成石像。

---

1. 这有一个著名的故事：1920 年，印度裔数学家拉马努金病重，另一位数学家哈代去看望他时抱怨："我乘出租车来，车牌号码是 1729，这数字真晦气，希望不是不祥之兆。"拉马努金答："不，那是个很有趣的数字，可以用两个立方之和来表达，而且有两种表达方式的数之中，1729 是最小的。"即 1729 既是 1 和 12 两个数字的立方之和，又是 9 和 10 这两个数字的立方之和。

在新联商场，乘坐自动扶梯上行时，他不经意间一照面，正看到陆薇薇乘着旁边的自动扶梯下行，她惊喜地说："你等等，我这就上来。"

她穿了一件新的貂裘，她肤色本来就很白，雪白的衣领更衬出面如敷粉。见面时她一直在笑，而那显然不是为了露出她洁白平整的牙齿。他们去找了个茶座。她问了他寒假哪天回来的，但没有丝毫责怪他迟迟不去看望她，正如任何一个老同学和普通朋友也不认为自己有权这样责怪一样。

她问了他在大学里的境况，问北京好不好，甚至对最新的宇宙发现也有几分兴趣。她虽然没有直接说什么，但却似乎让人觉得飞机发动机制造是一个很有前景的专业，值得为它去奋斗终生，就像为了某种教义。不像他遇到的别人，虽然大多并不懂航空工业，却会坦率地建议他还不如去搞风筝。至于她自己，在大学里还是有几分不惯，交际很窄，每天不知道该做些什么，自己想要什么固然不清楚，甚至自己不想要什么也未必了然。不过好歹总是自由的；如果说在高中的苦是每天好像被一块大石头压着，那么现在则是在习惯了这块石头的压力后，骤然之间它又消失，因而整个人都变得轻飘飘的，脚步虚浮，还需要一段时间才能适应地面生活。

她没有询问他在大学里是否有中意的女孩子，没有再问他和许燕如联系得怎么样；他也心照不宣地没有问她上次在信上提到的男朋友。毕竟和他们各自的生活相比，那都无关紧要。或许更确切地说，他从未认真看待她的感情之事，那或许是因为他从未动摇这一信念：她会在心里留一个特殊位置给他；但更重要的是，两人都坚信彼此是被友谊的纽带联结在一起，以至于竟然最后自己都信以为真。

不过她说起想来北京看看。"不行的话，等你下次方便，我们一起去玩也可以。"他为了这份从未兑现的愿望而感激，但一如既往地将感激藏在自己心里，也没有花一点力气去帮她兑现。

他像往常那样送她回去，天际露出微弱的星光。她想起，他曾和她说过不同季节的星图。由于运进原料和运出产品的困难，在这个世界最大的冲积岛上并没有多少值得一提的工业，因而在盛夏和隆冬晴朗的夜里，尤其能清晰地看到密密麻麻的繁星，足以使人患上密集恐惧症。除了十二星座，她记不清其他那些星座的名字，但她觉得他专注在别的事物上具有一种特殊的吸引力，虽然专注在自己身上时会令她不自在，幸好这样的时候也并不多；至于专注在别的女孩子身上，她从未遇到过。

几天后，年初七的午后，他接到一个匿名电话，是一个女孩子在轻笑："你认识陆薇薇吗？"他警惕地问："你是谁？"那人咯咯笑说："她叫你来玩。"另一个女生的声音在旁插嘴："章承，面对这样的美女，你怎么能不动心？"电话那头声音杂沓。他平静地说："你们好像不少人。""是啊，你来吧，她等着你呢。""你们在哪儿？""在她家。""那你叫她听电话。"对方挂断了。

放下电话，他出了一会儿神。实际上，半年前的暑假回来，得知家里新安装了电话，他第一反应就想打个电话给陆薇薇，理由也是现成的：她的生日临近了。但他还是克制住了。那个夏日的时光，她心情很是愉悦。高考总算顺利，也使得她和她父母把一部分成绩归功于他的辅导和鼓励。那次去她家，到近午时分要起身时，他受到了她母亲的极力挽留，连她那个平日沉默寡言的父亲也颇为殷勤，说那天正好是陆薇薇的阴历生日，务必留下来"吃顿便饭"，而那顿便饭之丰盛，几乎令他自己家里的年夜饭也相形见绌。在席间，他坐在陆薇薇旁边，几乎目不斜视，对这种殷勤感到十分的不自在，甚至是一种无以名状的恐惧，难以解释。

这样，他用家里新安装的电话拨打给她的第一通电话，竟是为了别人拨入的一个匿名骚扰电话。自然，他略去了那些调笑的言辞，只说了有这么一件事。她听了也很莫名其妙，若有所思地猜测了一阵，也无法确定是谁在恶作剧。到后来才知道那是陈铮、林诚他们在上海聚会时打的。不过就算他们知道是老同学所为，他们也不会问对方：那些人是怎么知道的？

在那些年里，每次从千里之外回来，他都有一阵陌生感，有时这种陌生感指向自己。那在某种程度上有点像衰老的过程：回想起来似乎并未发生什么具体的事，但变化已经切实地发生了，并且有肉眼可见的真凭实据。

夏天回到家里，接到许燕如电话，她抱怨说："我已经打了好几次了，小店里的人都知道了。"他这才告诉了她家里安装好了的电话号码。她说起自己现在的生活。她的职业生涯在大学一年级就已开始，现在则更像个白领了：每天一早从斜土路的住所转车去虹口上班；今天在公司做成一笔生意，赚了四百五十元；

晚间还要去教初三的英语口语，一小时四十元。她说她每天都很劳累。而这一切部分也是因为准备要去国外深造，学费都得自筹，特别艰辛。他"嗯"了一声说："这次回来听我爸妈和邻居都说你很能干，说要去德国了。"她笑起来，"哎呀，那只是我教汉语的两个纽伦堡大学的德国人邀请的，他们最多帮忙了解下手续，八字都没一撇的事。我爸爸说得比较实在：这是迫于家境，逼上梁山。"

他默默在心底里叹息。但出于礼貌，知道此刻应表示为她高兴。

她的新家终于装修好了。去找她的那天正值盛夏，浓烈的油漆味尚未完全散尽。屋子里还有一个陌生人，是她后妈的弟弟，来此投亲，借住几天，为人有些拘谨和沉默，这一点倒是给章承留下不坏的印象。不过许燕如私底下对章承说："我从没和他说过一句话。"由于她这句话，他在几分钟后看到她转头亲昵地叫那个陌生男人"小舅舅"时，感到十分诧异，至于叫后妈"妈妈"的甜蜜，则会让外人误以为她们是几十年的母女。

她忙了好一阵家务，之后又要去打几个电话处理事务，以至于他在那里独自坐等了足足两个半小时——不过反正只要有书看，他不会觉得时间难挨。她忙忙碌碌的，说前两个月打工赚了七千元，"两千块一个月我还看不上呢。"实际上，他也同意，每天小剂量的自我感觉良好有利于身体健康，只是他本人提不起精神，因而只能努力笑了笑说："嗯，以后我也得多赚一些，不然被人瞧不起。"她付之一笑，谦卑地说："我是穷人家的孩子早当家，没奈何的事，你又何必？"她说一年多前生病，打电话给父亲，结果他说："我都用你后娘的钱了，哪来的钱？"

空气凝结了一秒钟之后，她若无其事又善解人意地转开话题说，去年夏天收到了一百二十三封信，大多都是同学，也不大回，今年就少多了。"你有女朋友了吗？别告诉我你还没有。"她笑吟吟地问，恰似一个关心人的老朋友。他摇摇头："没有。我们是理工科院校。况且我三年后多半还要回上海的。"实际上，他们都心知肚明，那些都不是理由。尽管她对此宽慰，倾向于相信他为自己保住了童贞。而他真实的内在想法是：经历了一些感情波折后，他认为女朋友这样的奇特生物，恐怕一个都嫌多。为了保证良心上过得去，他在回答时还仔细想了下，觉得自己也不算撒谎，陆薇薇当然不能说是他女朋友，她有自己的男朋友。

为了自我解嘲，他又说起人类学上的邓巴常数：人类和灵长类动物保持社交关系的人数最大值为一百五十。她抿嘴笑望着他说："你的这个常数好像比一般人还小一点？"他承认："我好像用不了这么多。"是这样，多年后，他也只有一部手机，他觉得那已经足可收录自己所有的联系人了，实际上，都绰绰有余。

仿佛是为了考验他对数字的敏感，她忽然问了句："今天几号？"他漫不经心地答："23日。"她直视着他的双眼问："你不觉得今天这个日子很特殊吗？"他蓦地怔住，心里掠过一片阴影，看了她一眼，她那脸色是认真的，并不是在开玩笑。他对这道考题有些吃不准，在大脑里搜索着这个日期所对应的可能答案，以及它到底特殊在哪里，猛然间想起五年前的那场葬礼，由于他自己缺乏亲身经历而没有在记忆里标注清楚日期。他对答案还是有几分不能确定，但或许最好还是不答，答错扣分的风险是难以承受的。

记错或遗忘两人之间的关键日期，是十恶不赦的重罪。在他们音信稀疏的年月里，每到这样的日期时相互问候，构成了他们生活中不可或缺的一个仪式，就像对峙的海峡两岸，每逢十一和双十节，都要心照不宣地互放礼炮一样。在多年后的一天，他在昏天黑地忙碌了许久后，在清早上班的路上正呆呆出神，忽然接到她的电话，她直截了当地劈头问："今天是个特别的日子，你做什么了？"霎时之间，他感到四周一阵令人毛骨悚然般的寂静，头痛欲裂了一阵才嗫嚅着问："是你生日？真抱歉……"他们少年时代在乡下都按阴历过生日，之后有时在阳历也会送上祝福，但他那一阵太忙，已经不像早些年那样能够迅速搜索出自己想要的某一条信息，以至于在突袭之下甚至完全想不起来在那段混乱的日子里，自己是否曾记得送出过祝福。在那么短的时间里，他根本想不起来今天是阴历哪一天，是否恰好是她的生日——别说是阴历，他甚至连阳历是哪一天，乃至星期几都想不起来了。只听电话那头轻叹了一口气，缓缓吐出让他顿感如释重负且随后一想好像也果然如此的一句话：

"唉，章承小朋友，今天是你自己的生日啊。"

那时，她起身去放音乐，转头问："你喜欢任贤齐的《心太软》和《依靠》吗？"他不便说厌恶，但仍然毫不留情地说："不喜欢。我现在听摇滚居多。"她还是播了，说："你听听看。我很喜欢《心太软》，心情不好的时候听，会感到很安慰。"他则牛头不对马嘴地说到窦唯的新专辑《艳阳天》，哼着那段开头的歌词："好春光 / 在这艳阳天 / 朦朦胧胧像是那从前。"她忽然侧过头凝视着他，说："我发现你有些变了。""哦？""很吃惊吗？""这话很多人说过，就没听你说过。"

她淡淡地说："我也刚刚觉得，猜猜我是怎么发现的。"

"我这么笨的人怎么猜得到呢？"

"你以前从来不在人前唱歌，至少我没听过，更别提是摇滚了。"她说。

不知道为什么，他有时觉得自己在北方写信给她的时候，反而感觉与她更近一些。

陆薇薇看上去消瘦了几分。不是那种他后来时常见到的女孩子减肥之后的消瘦，而是一种精神萎靡的自然后果。

她现在加入了大学的摄影协会，花了两千元买了一台海鸥变焦相机，这次回来也去拍了很多老街的照片，冲洗了好几个胶卷。这个新爱好容许她以不同的视角来观看世界，使她深感满足。她希望自己不会像以前那样半途而废，而他甚至比她本人更希望如此。他问："你应该不只是摄影师，也是模特儿吧？"她点头承认，然而出于一种不知何故的矜持，她不肯把照片拿出来给他看，"拍得不好。"她解释说，他也就没再坚持。

蒋春雨已经毕业了，在一家信托投资公司，月薪一千二，离她学校很近，骑车过去只要半小时。最要好的闺密回到身边，这让她感觉好受多了；而她自己，刚刚摆脱大学第一年的迷茫，就要开始为踏上社会做准备了：几天后，她就得回上海去学办公室自动化。

"办公室自动化"，在那时，这还是一个非常高级的词汇，一种需要专门学习的课程。毕竟，他们在高一时虽然上了一年的计算机必修课，但那都是枯燥无比的 DOS 程序，每周一次的机房操作，像是在无菌实验室里，还是两人一台电脑。1995 年 8 月 24 日，微软发布 Windows 95 这种后来几乎成为除苹果电脑之外的标准程序之际，章承刚要离开小岛去上大学。

在那个不可思议的技术原始时代，网络聊天工具尚未发明，手机是笨拙的奢侈品。如果每个人的人生能比照人类历史的进程，那么当时差不多就相当于漫长的石器时代。他后来常常想，如果在当时就有这些技术，而不必依赖低效率且性情反复的邮递之神，他们或许可以有效地避免那些误会和尴尬，也不至于拖入一个无可挽回的境地。然而在当时，他几乎唯一的选择，就是把这些冲动和念头都予以升华。他后来也想过，当时居然能克制住自己没有走上邪路成为一名诗人，也算得是奇迹。

那半年里，他和陆薇薇也音信渐疏，他只写了两封信给她；而她，甚至连早先的抱怨和困惑也不再吐露。只是他心底里仍有一分不安。年前回岛，在街上偶遇，她问，你去哪里？他随口开玩笑说，去你家呀。她信以为真，哎呀，不巧，我正要去我奶奶家。她言笑晏晏，没有一点不快。他随即意识到，那不是她天真好骗，也不是他自己会骗人了，而是因为他在她面前几乎从来不开玩笑，句句是实——换言之，他的状态接近于那个孩子第一次说"狼来了"的时候。

其实他如果真去找她，也非扑空不可。她忘了，自己并没有把乔迁的新家地址告诉过他。那是 12 月 25 日那天新迁的，住得可比以前宽敞舒适多了。只是去看她的那天，她略略有些不适，半躺在床上休息。

她母亲殷勤周到极了，核桃、瓜子、金柑，又有红枣木耳粥、麦片茶，流水价端上来，又不满地催促女儿："薇薇你也吃呀，你不吃人家怎么吃呢，好歹也陪陪章承。"她眼光瞟着章承，似乎越看越欢喜。像中国家长通常都会做的那样，她照例贬低了一番自己的孩子，在这一必不可少的仪式之后，她抽身出门，直到他离开也没再回来。章承站起来做了个鬼脸，以博得陆薇薇的嫣然一笑——在这种骤然轻松之际，他竟然没有考虑到另一种可能：那位尽管唠叨但久经世事且绝不愚蠢的家长，可能只是有意把时间留给他们独处。

旧居的一盆日本吊兰，现在还放在她房间里。在新居明亮的空间里，他觉得原先那种尾随不去的花朵萎谢的气息恍惚已远去，至少在印象和记忆中，那里更具有油画般的色彩。不过采光的确好多了，房间更明亮，照在她身上，仿佛整个人也明媚了几分。

她依然是学生气，不施脂粉，似乎也懒得打扮；他暗自揣想，等到踏上社会，或许就不得不有所变化了。她虽然比他迟一年上大学，却要早一年毕业；然而看起来她也没什么危机感，对可能出现的挑战，一律以无所谓的态度来应付——这一点倒和他不无相像，他也一贯地以不变应万变。她下学期的课程并不紧张，前十周仅有三门课，后十周就实习了，毕业之初估计也就月薪八百吧，她对此并不挑剔——更确切地说是并不在意。

"不过好歹是自食其力了。"她说。仿佛那更重要的是她自己的独立日。

他会一直记得那天晚上打电话给她们时的情景。那也是他在大学里的唯一一次尝试。

他是晚上九点多才下楼去小卖部找了一架公用电话拨打起来的。先打了许燕如的拷机，然而等了许久没有回音，他又打了一个，还是如此；他有点焦躁，难以忍受这种煎熬而忍不住想在这间隙里做点别的什么，于是又试着拨打了陆薇薇的拷机。刚打完，许燕如的电话回过来："刚才有哪个姓章的打我拷机?"

"是我。我在北京。"

她在那头微微一怔。稍谈了几句，也没什么可说的，她说拷机响时，正累得想睡觉，起身找遍附近的电话亭，都关门了，"我现在用别人家里的电话。你没别的事吧?"

"没有。"

"那等你回上海后我们再谈吧!"

过了一会儿，陆薇薇回过来，他远远地听到女孩子惊喜的声音："章承，是你吗? 我就想肯定是你。你怎么想起给我打电话? 你等好久了吧?"她住的地方有点偏僻，一群人得排队打公用电话，刚才还是插队打的，就这样谈了几句，她说："你等会儿，别走啊，我过一会儿再打来，因为我插队时说好只打两分钟的。"于是再等。几分钟后铃声再响。提起话筒来他先说："辛苦辛苦。"她笑问："你等得辛苦吗？"

"你什么时候回来？"她随即问了最关心的一个问题。

"应该是七月里吧，"他说，"我还有件事想告诉你：我被选拔上了飞行员……"

电话那头尖叫一声，似乎已经喜极而泣："真的吗？太为你高兴了！"他不为所动，以一贯缺乏抑扬顿挫的语调把事情简短说了一遍，就像是一个刚刚彩票抽中五百万，但仍打算明天照旧去上班的古板男人。事情的经过是：碰巧民航系统要培养新的飞行员，来学校招收，他本来毫无兴趣，还是同学非拉着他同去的，结果他被选上，那位同学自己反倒落选了——那也不奇怪，本来那就是五百分之一的概率，需要一定程度的运气配合。他其实倒也并不觉得这有多值得庆贺，相比起自己小时候的天体物理和工程师梦想，除了报酬略微优渥之外，这个职业并没有多大吸引力。实际上，家人们比他本人对此更为高兴。

他说到那次选拔的体检费是十块钱，得自费，"如果当时是二十块钱，我肯定就不去了。"他这么说并不是在开玩笑。但她听了咯咯直笑，为他的节俭、运气和坦诚，她说："把这个荣誉给我，我来帮你出这笔钱吧。"说到"这笔钱"三个字，仿佛那不是十元钱，而是十万元，她忍不住笑起来。他好像没领会到这个笑点，继续说下去："我过两天要去四川广汉的中国飞行学院受训一段时间，夏天会回上海，去东航接受一点培训。"她这才流露出一丝不快："那你会住在虹桥那边？太远了。要不然你到时都可以搬过来住，我这里还空着一室一厅。"他没有接茬。

她现在在五角场那里实习，今后很可能也就在那里工作了，等转正之后月薪会有一千五，总算比预想的高多了。说到工作，她抱怨了一番："起先上班，我是极不适应的，一天到晚只是硬着头皮做着自己不愿意做的事情。我和你说过，我更喜欢岛上那种平静的生活，讨厌极了上海热闹而杂乱的交通。我发现自己对钱还是没什么感情。但每个人都说，毕竟长大了要面对现实。现在也好多了，就算有理想有抱负，也总得在平静下来后再作考虑。"他问："那你现在心情好些了？"她在电话那头抿嘴笑着说："今晚接到你这个电话，我就心情很好。"

他提到上次寄的音乐卡，自嘲地说，那时买回来，被同宿舍的男生讥笑那张音乐卡的音乐已经落伍七八年了。她哧地一笑，说："我只看你写的文字。那音乐又不是你写的。"

两人谈了十二分钟。那是到当时为止，他们交谈过的电话之中最长的一通，甚至堪称空前绝后。在电话长谈时，他想到长途电话费的昂贵，几乎是在盯着计时器，心无旁骛、争分夺秒地在说话；有好几次，他歉疚地说太久了，费钱，她总说，哎呀，不要紧的。

最后，她有几分恋恋不舍又充满期待地说："好了，等你回来，回上海来。"他等她先挂上电话，那少女的声音在那漫长的电话线里余音袅袅，仿佛水阀关闭之后，剩余在水管里的水，还能滴滴答答流上好一阵子；而他以自己从不缺乏的耐心，等它流到一滴不剩为止。

4.5

一个电话。澳大利亚打来的。我不明白，在已经有了微信、QQ 和 E-mail 的年代，还有什么事非得要打电话才能讨论解决。

"小说不用写下去了，"她说，仿佛是在提请单方面中止合同，"我不想看到结尾。"这就是连载小说的坏处。如果按照她原先那种先看结尾的阅读方式，至少容许作者先写完。

"你都还没看到结尾。"

"不用看我也可以想见了，"她断然说，"看了前面几章我也能明白，这不像是在为大团圆结局做铺垫。"

"对不起。小说的结尾已经准备就绪。这不仅是写给你的，也是我的小说。所以你已经在后悔自己当初提出那个请求了吗?"

"后悔?"电话里传来她的鼻音，带着一点冷嘲，"我从来不后悔自己做过的任何事。"她顿了一顿，又接下去说，"我知道自己不会是唯一的读者，其实我并不知道你设定的读者究竟是谁，何况我也不知道故事结尾。有一度我很想知道，究竟是怎么回事，但你看，后来我都不再催促你了。你为什么写小说？看起来与其说是为了搞清当时发生什么、搞清我是怎样一个人，不如说是为了搞清自己是怎么回事。"

"不是，我不是为了搞清，而是相反。"

"这只是一个游戏吗？我甚至在想，陆薇薇这个人真的存在吗？"

"你为什么这么想？"

"靠女人的直觉。"

"她和许燕如一样存在于小说里。而且，即便你是女主角的原型，也请不要对号入座好吗？"

"不要云山雾罩，"她的语气像是一个在盘问丈夫是否出轨的妻子，不过迅即又低沉下来，有几分哀伤，"我只是不甘心自己像你手臂表面的酒精一样，就那么从你的生活里挥发掉了。我并不是说不能编，我原本希望的也是虚构，但我希望的是通过这实现现实中未能实现的东西，而你的虚构看来是为了更好地抹去许多事存在的痕迹。也许我们在这一点上是同谋。小说里有些真实的地方真实得可怕，但有些虚构的地方也同样可怕。看了你写的，有好些竟然是我从来都不知道的，甚至包括我自己的某些部分，看来你脑海中的我原来就是这个样子。"

"你不知道是正常的，你不可能知道，因为那是我编的。"

"为什么要编？你觉得我们之前的事不值一写吗？还是你觉

得这样更有利于自我开脱？——对了，我觉得你把不少精力花在了自我辩解上。"

"不是。我也没有自我辩解。当然，真诚的自传或许也是不可能的，'只有自传不是自传'，但看过这部小说的人大概不可能喜欢男主角。"

"那你这算是自虐情绪的爆发？还是忏悔？"

"也不是。写作者往往就像吸血鬼，会把朋友乃至自己的秘密都出卖光。老实说，写到后来我已经不知道了，真实与虚构也不重要了。我有撒谎的权利。"

"你还真以为自己是小说家？"

"我知道自己不是。但我也不想写一个张爱玲所说的'温婉、感伤、小市民道德的爱情故事'。"

"看着就是嘛。充满了装模作样的抒情。你知不知道你有多自负？"

"好吧。是那种初学者的自负吗？那我所能做的也就这些了。其实你也知道，我一直不是个会讲故事的人。写作是折磨。我一度甚至觉得，你叫我写小说，是给我最后的惩罚。开始写了之后我才发现它远比自己预想的难，结束它就更难了。可能原因之一是我们都已经知道故事结尾了。就像你喜欢先读结尾一样，这其实是一个从结尾反推出来的故事。"

(5.0) 量子态

一

他并不是为了结尾而回来的。他以为那会是一个开端。

回到上海——这个短语本身也有几分解释不通，他并不是"回到"上海，没有人能回到一个他自己几乎从未停留、向来陌生的地方，而它又是如此巨大、繁复、莫测和不动声色，尽管在适应了这座迷宫之后，你会更愿意将之形容为"丰富"。但恐惧是一个乡下人对大城市的正常反应，也许是基本反应。

"明天不是周末，你有空吗？"他小心翼翼地问，但实在无法挨到周末了。

"来吧，"她在电话那头欢然说，"只要你来，总是有空的。"

七点十分，他从地下室旅馆没有窗户的房间里醒来，收拾好自己的行李，穿过油腻喧闹的嘉善路马路菜场，倒了三趟车去见她，十点才到她的国定路住所。在上海他时常会产生一种奇怪的感觉，有些他实际上从未去过的地方好像本应是几年前自己就来过的，而一些他真正曾去过的地方在重访时却又完全陌生。

夏日的太阳早早地升高，尽管他小心调整着自己的步伐以免汗流浃背而给人以狼狈的重逢印象，但额头和背上还是沁出不少汗珠来。他在这个破旧的新村院落深处的夹竹桃树荫下找了一条长长的水泥长椅，坐下来稍稍平复一下心情，但还是难以抑制地感到浑身冒汗。那与其说是处于重逢的喜悦，倒不如说像是上台前最后一次记诵台词的机会。

也没有什么预料中的惊喜。她似乎没料到他这么早来（而他以为这也会构成惊喜的一部分，至少是开头部分），看来刚刚起床，头发有些蓬乱，但不是那种有意塑造洒脱风格的蓬乱。她的一头长发已经不见了，仿佛和许燕如约定好了似的剪了齐耳短发，不知是因为工作忙碌的缘故，还是为了让自己看起来略为坚定一点。不过，她仍一如既往地散漫不羁，只是衣着举止都不再那么学生样了。

在她去洗脸刷牙的几分钟内，他默默地环顾了一下房间。显然，这不是个家，而更接近于一个临时的宿营地，是她栖身的洞穴。席子上一条薄薄的毛巾被在起床后尚未叠好，床底下放着两双旧鞋，看起来已略积了点灰尘，像是把自己不爱吃的食物偷偷掩埋在垃圾桶的底部。在字纸篓里，放着吃完后被扔掉的方便面空盒。桌上是一台 486 的台式电脑，虽然没有开着，但他觉得有足够的理由怀疑那主要是用来打游戏和看片用的。桌上和柜子上都没有什么书，一本武侠小说是唯一的幸存者，那是她贯穿整个少女时代的阅读爱好。

他嗅出了什么异样，但一时不明所以，后来才意识到，在这里没发现什么他们过往的证据和照片。也许在下意识里，他存有洛卡德原理的念头：但凡两个物体接触，必然会产生物质交换，留下痕迹。难道我本来竟曾暗暗期望她在这里怀念我吗？想到这里，他自己也不禁为之吃了一惊。毕竟他是第一次来，除非时空错置，否则是不可能在这里留下什么过往痕迹的；至于照片，他们从未合影过，虽然曾寄给过她一张在香山远望的照片，但要把一个男生的相片放在这房间的任何角落，想起来连他也会感到为之难堪——想到这里，他又为自己想到了"难堪"一词而觉得有几分难堪。

他低下头来，看着黑魆魆的水泥地面上不知哪里，但其实根本没有在看。他只是忽然想起，和陆薇薇的过往，一如和许燕如的过往一样，没有任何文献或物证，归根结底，那只是一场仅存于头脑中的虚幻事物，就像去年的一场烟花表演，就算曾是一幕盛大景象，但如果没有任何记录或目击者，那就没什么能证明它们存在过。

她洗漱回来了，笑着叫了他一声。他如梦初醒。他这时才发现她十指都涂了藕色的指甲油，脚指甲上也是。她问起他的飞行员生活，在驾驶舱里看地面是否会有不一样的视角而能原谅一点这个世界的平庸，在那边驾驶教练机是什么感觉，又笑着问他是否遇到了许多空姐，那些女孩子是不是真的都很美；至于她自己，开始平平淡淡地生活，公司规模不大，规矩倒是不小，不过，本来也就只是混混日子吧。

她在这里也不会住很久，已经看中了附近一室一厅的空房间，月租金不过三百五十块钱，她说，你愿意的话可以搬过去，我这里还没退房。他说，算了，不麻烦你了。她笑笑，怎么会呢，你先进去，刚好帮我清扫一下，你又爱干净，肯定比我自己打扫要好。她在这里也很少自己做饭，虽然每天五六点就回家了，但提不起兴致做饭，多半就在外吃碗面解决一顿，上个月煤气费只花了四块五毛钱。第一个月工资一千五，孝敬了爷爷奶奶两百，一高兴又给了弟弟一百作为零花钱，剩下的就都自己花完了。

在他回上海前夕，她在信上说，想到你的归期将至，很是高兴；她说，我发觉自己在过着一种面目全非的生活，工作庸庸碌碌，公司里办事效率差，人际关系复杂，钩心斗角，阿承，快回来吧，赶快回来挽救一下我已腐朽的灵魂。她说，等你回来告诉我外面的世界，甚至外面的宇宙又有什么新事物吧，我们再拿相机去拍拍上海的老建筑。不过这天她没提起一起去拍照的事，他并没有相机，也就因此没再提起此事。

这次重逢很快变成了消磨时光，那是他不擅长的事。临近中午，她叫他帮忙出门去买两份盒饭，盛夏烈日，她实在懒得出门。他一声不吭地去买了，回来看到她正趴在床上看那本武侠小说。随后又回复到有一搭没一搭的闲谈。他略微有一点困惑，她究竟是变成了这副样子，还是如今在他面前更加不设防的结果，当然，更可能的是，她以前和现在的样子都是真实的。

他其实也并没有真正在听她说什么，毋宁说，更像是在听音乐——他不是在辨认声音所传达的语言信息，而是感受音调的高低、音色和旋律，就像婴儿在听摇篮曲时所具有的那种效果。慵懒的声波以粒子状在空气中缓慢弥散开来，在整个空间里呈现出不均质的分布。她有时对着他说几句，有时看着天花板说几句，又或低头吐出几个词，其落点完全是随机的，完美地符合泊松过程。他想起来，许燕如有时也是这样的说话方式。

许燕如其实也住得很近。她的房子租住在凉城新村。这次，他算好了时间，按约定的时刻抵达。准时一向是他的美德，尽管他知道在大多数时候，是他自己而非别人更在意这一点。踏进小区时，他听到半空中有人喊："喂，在这里！"

他在盛夏清晨刺目的阳光里眯着眼抬起头来，看到许燕如在三楼的阳台上探出身来向他招手，笑容灿烂。那令人难忘的样子，就像是一个被囚禁在塔楼多年的公主，终于等来了营救她的骑士，而无暇再顾及自己的矜持，虽然她一直不肯从高高的台阶上下来，因为囚禁她的，正是她自己。他也不是不明白，她一直期望他能像一个打不垮的超级马里奥，去不懈拯救公主，即便打击、障碍和陷阱有时来自公主本人，但分配到这个任务的人，就应当一辈子守护这份光荣的使命。在过往的六年里，他们的会面屈指可数，他几乎能毫不犹豫地背出每一次见面的日期、地点和时间长度，且倒背如流。在缓慢的熵增过程中，他的能量渐渐耗尽，而使命永未完成。他只是没有足够清醒地察觉，这个使命早已逆转了过来，公主如今更像是普鲁士国王腓特烈·威廉一世——据说他曾在柏林追赶他的臣民，用手杖殴打着他们叫喊："我要你们爱我！"

在回来之前的六月中旬，他接到家书，听说了许燕如的外公去世的消息。那是又一根稻草。这个大家庭中最后一个她所深爱的人也走了，她回岛的理由就又少了一条。不过她在葬礼上的表现博得了邻居和亲戚们的交口称赞，大方得体，而且很能干，前途也一片光明，听说要去德国深造了。这都是母亲在给章承的信上写的，他毫不怀疑她能做到这些，甚至比信上所描述的更完美都不足为奇。许燕如自然没有自我表扬，她只是满意地说，葬礼上"无论是我父亲还是继母都做得很漂亮，颇得大家好评，我也很高兴"，那个哀伤的时刻也刚好是个家庭和解的仪式，而当初他就是没明白这一点才遭际惨烈。

她在信上又说，"你七月初回上海，那是最好了，希望那时候能常常见面，回来就好！回来就好！有很多话，我想我不说你也能明白，是吗？"

其实他并不真的明白。固然，他自己也常常以为未说出的话就跟已经说出没什么分别，甚至比说出来具有更强的效力，但每次遇到她说这样的话，还是让他感到一阵惶惑，仿佛一个唯恐会因自己答案错误而遭体罚的小男生，即便他的答案很可能是正确的。说来奇怪的是，虽然她觉得自己早就看透了这个平淡无奇的人，但有时又觉得他就像是一座冰山，虽然竭尽全力，但也还是只有七分之一的部分露出水面，只不过她自认了解他水面以下的部分。

见面时，她打开半扇门，在门后笑吟吟地说："请进，章承博士。"她有意把"博士"两字拖得很长。在他换鞋时，她在旁注视着他说："你真是一点没变。"这是老友重逢时最平淡的问候，从别人口里说出来，有时是赞扬，常常甚至是恭维，偶尔是失望和指控，但在她这里，更多的似乎是欣慰于自己的判断正确。他正在低头脱鞋，惊讶地听到这句话进入耳膜，激起经久不息的震荡——她竟对自己造成的影响全无察觉，而以为他没有发生任何变化，这不知道算是惊人的无视，还是无辜的误判，抑或是有害的自信，乃至自我催眠。他旋即意识到，那更多是因为她并不确切了解他，也没打算这么做——何必呢，对她而言，"爱"的意思只是"被爱"。这不是她懒得去努力理解，只是因为她了解的是那场暴雨之前的他，坚信他的躯壳内隐藏着一个十五岁的少年。

相反，对他而言，距离那场葬礼之后的大暴雨，已有数百年过去了。新闻里常说，我们用二十年的时间，走过了西方两百年的道路，这让人感觉在当下这个神奇国度之中压缩的时空里，时间在不同寻常地流逝，以至于他在二十多岁时就觉得自己好像已有两百岁了。就算要期待一块石头长出花朵也不需要等这么久。由于不时观测夜空，也使他易于感受时光的流逝。想到自己看到的星星，其实都是它们数十年前，乃至几百万年前的样子，他就意识到，她看着自己，似乎也是这样，因为距离了若干光年，她看到的其实是多年前的我。他站起身，凝视了她一眼，像是要找出时光在她脸上侵蚀的痕迹，但并没有触目惊心的发现。他心底里有一点悲哀，她从来没有足够清楚地意识到：如果他们要开始一段情，那是从头作为两个不相识的人开始，因为他们都已是全新的人。就像在一个梦中醒来之后，无法睡下去接续着原来那个梦做下去。

正因此，他谨慎地反问："不可能一点变化都没有吧?"她微笑着瞟了他一眼，仔细端详了一下说："气质上倒是成熟一点了嘛。"他"嗯"了一声，接口说："我在初中时，至少没这么多胡子吧。""啊，那是，"她从容补上一刀以为嘲谑，"那时脸皮厚，现在长得把坚忍不拔的精神都长掉了。"

虽然是玩笑，但他感觉到，她对他的任何改变都感到不快。他震惊地发现，在他本人都感到自己陌生的时刻，她却仍然坚持认为他是熟悉的。奇怪的是，许久以来她并不是没有注视过他，偶尔甚至也发现过他的改变，但却一直笃信他早已三岁定八十，仿佛他十五岁时的样子就是理解他一生的神秘之钥，这一点已近乎一种不可动摇的信仰。他看着眼前这个往事和记忆的囚徒，意识到自己在她面前代表着过往，始终未能和解又无法忘却的过往，他是过往的道成肉身，是她自我的一部分，在这里的悖论是：她爱的其实是自己。一直以来，每次相逢，他们总要谈论到过去，仿佛在一两个小时的会面里重新生活一遍似的，但很久都没勇气谈论未来，至于当下，她并无兴趣，那不过是一堆缠身的琐事罢了，包括他的——尤其是他的感情生活，她既想知道又根本不想知道。

从某种意义上说，正是那过往的影子，那些幽灵般的往事，构成了最大的障碍。两个人都已成为对方的囚笼。如果说她曾是闯入自己生活的哈雷彗星，他逐渐明白，他有一个自己的世界，而即便他敞开，她也没有多大兴趣进入，只愿意在外面感受他的引力。他认为正常的生活轨迹是像水星那样：每次绕太阳公转一圈，它都不会回到原来的起点。他完全不愿意重复，那里面包含着他所恐惧的东西。"思嘉，我从来不是那样的人，不能耐心地拾起一片碎片，把它们凑合在一起，然后对自己说这个修补好了的东西跟新的完全一样。一样东西破碎了就是破碎了——我宁愿记住它最好时的模样，而不想把它修补好。然后终生看着那些碎了的地方。"[1]

在她去倒茶水时，他想起最初遇见她的那个时刻：她在乡下的小姨带着她去百子庵小学，在那个有几分腼腆的小男生面前说："阿承，这是小燕子，是你表姐，她以后也在你班上读书。"那之前他从没见过这个只存在于大人们口中的表姐，这一身红衣的女孩子，是一个出现在生活中的陌生人；而对她来说，这个名义上是故乡的岛上，更是布满了面目模糊的陌生人。

他对这件事记得很清楚，因为这是他生活中的第一个伊勒克特拉悖论（Electra paradox）：伊勒克特拉有位哥哥奥列斯特回家

---

1. 引自《飘》的结尾白瑞德的话。

了，但她并不认识这个人，也就是说，她既知道又不知道这人是她的哥哥。在成年之后，他开始意识到伊勒克特拉悖论再度在两人的关系中出现了：在经历了长久的隔膜和冷淡之后，他既认识又不认识她。理论上说，她应该也一样。在某种程度上，这也符合量子物理：一个人的量子态在观察期间不停地改变，即便在说一句话的时候，他的量子态也改变了多次，他既是同一个人又不是。明确这一点无疑很重要。

她的确又谈起了过往，不禁喟叹："我那时差点以为你就是灾难片中的超级英雄。"她说这话的时候并不是在抱怨，更多的倒是在自责，一种成熟后的自省和叹惋。

"Super hero。我现在玩 RPG，通常不会挑这么难的角色。"他说。

"你居然也有幽默感了。"她在今天的会面中第一次表现出惊异。

"生活所迫。"他诚实地回答。

"还比以前会应答了。"她又表扬了一次，这是相当难得的。

"这也是生活所迫。"他以同样的语调重复，这次加上了苦笑。

她笑起来，像是在追怀："以前总觉得你太认真严肃，缺乏幽默感。你身上缺点不多，但你自己难道不知道吗？"说到这里她有几分幽怨，"你身上的优点远比缺点更令人讨厌。"

他知道。他听另一个女孩子说起过，说到他正直得令人讨厌。

她用一种好像迫不得已认输了似的口吻继续说："你一直很

优秀，也对我很好，有时候我都不知道你为什么对我这么好。因为这些，在你面前，我一直感到有些不自在，"她转过头，换了一种似乎是哀怨的语气，"而你竟然从来不知道这一点。"

他不知道怎样才能注意到这一点，每次与她见面，他对自己身上的不自在尚且自顾不暇，而一直以为她应对自如。

她单刀直入，把话挑明了："我期待你能主动。"

"然后你就通过不断打击我的主动性来达成这一点？"他第一次咄咄逼人，以至于说出后立刻有几分后悔。不过那时他还并不明白，她并不是要打击他的主动性，只是在她对爱情的理解里，公主即便不断泼冷水，那个超级马里奥也应当死缠硬打、死皮赖脸、奉陪到底，就像那是考验仪式不可或缺的组成部分。这样想其实并没有什么错，更无可厚非，并且就是许多人的爱情模式，唯一的不幸在于：章承完全不是这种人。

出乎意料地，她并没有生气，只是站起身，到阳台上，仿佛要对着外面的一个隐形树洞才有勇气说出这句致命的话："我意识不到伤害了你，因为我一直觉得自己才是那个受伤害的人。"

很多事并未随着时间的流逝而过去。就像"鲸落"（Whale fall）这个词所形容的：当一头鲸在深海区死去之后，尸骨在深深的海底，还能维持其生态系统长达几十上百年。或者像一颗恒星，在陨灭之后，它的能量仍然在黑洞洞的宇宙中徘徊。不过，此际他已感觉到，他们已不是彼此照耀的恒星，而变成了黑洞。过去的一切你都无法改变，这是基本的物理原理。

或许是出于责备他的目的，她说起那个痴情的高中同学孟树龙，他还是会来看望她，他似乎顽强地残存着一线希望。她这样说的时候，观察着他的反应。他看上去无动于衷。他其实不喜欢听她说这些，每次都觉得有些不舒服，但他也意识到，这种不舒服或许就是她想要达到的效果，如果能再强烈一些就更好了；由于意识到这一点，他决意不表现出来，因为在这种情况下表露出来，他会有一种极其糟糕的、自己在演戏的感觉，何况也有损于他的自尊心。

"本来我曾经想，你难得回来，中午找一家饭店去为你接风洗尘，"她半开玩笑地说，"不过想想算了，到时要你点菜，你只怕连我喜欢吃什么也不知道吧？"她其实是惴惴不安地询问，而他报以默认，看上去像是个不懂感激也开不起玩笑的无礼家伙。他也听人说过"喜欢一个人，一定会知道他/她喜欢吃什么"，但一直不理解这是什么逻辑。说起来，他也不知道陆薇薇到底爱吃什么，总不至于是盒饭、方便面和香肠。

"好了，开个玩笑而已，"她只能自我解围，"不留你吃午饭，只是因为我一会儿还约了同事见面。"

他一贯厌烦她每次会面都安排得这么紧凑，如果她另一个可厌的习惯——喜欢带着表妹或同学一起会面，仿佛只是"顺便"见他下——可以理解为她单独见他确实有些不自在（虽然从未表露到肉眼可观测的地步），那又是为什么？

"男同事？"他问，旋即被自己不客气的口吻吓了一跳。

"你嫉妒了？"她瞟了他一眼，露出妩媚的笑容。

"没有，你一直被裙下之臣环绕着。据你所言。"他这么说的时候声音没有任何起伏。

"裙下之臣，嘿，"她冷笑一声，不知是否定这一点，还是因感觉到他话中意带讽刺而不快，"那是我骗你，你也就信了？"为什么不信？每个人都不免有这样的错觉，以为自己的恋人那么优秀，不可能没有别人发现这一点，就像天上较为明亮的那些星星，一定会有很多人都在仰面观测。

"这就是你让人不舒服的地方：你不嫉妒。"她怔忡了一会儿，忽然间眼泪夺眶而出。

他十分愕然，想说几句安慰人的话，但这又是他所不擅长的。他想了下，她的责备似乎是对的。无论对孙正宇，还是其他那些只听她说过名字的男生，他几乎从不嫉妒。这也并不是他有信心，或是孤高傲慢，就像场上一个不屑于参与抢椅子游戏的角色；那么，或许就是证明了他对她淡漠到没有感情，又或如弗洛伊德所说，缺乏嫉妒心在本质上是一个人严重自我压抑的结果？

稍稍安定下来，他开始着手找出租房。同伴是现成的：赵震从南京回来，也正要找地方实习，不过他先回岛几天再出来。对于章承不肯去陆薇薇那里暂住一两个月，他毫不掩饰地表示费解："这不是很好吗？可以先住，合适的地方我们再慢慢找好了。"

"不大好。"章承简短地说。

"有什么不大好？"赵震直言不讳地说，"如果你担心让人误会，那你现在这样不敢坦然地住过去，反倒说明你心里有鬼。"

不管怎样，这个建议还是没有被接纳。在住了几天地下室旅馆之后，章承在西区找到了一处住所；里面虽然空无一物，但在夏天席地而睡，对男生而言也算不得是什么考验。本来实习的航空公司也有安排住所，但那却是他并不喜欢的。

在新居的第一个晚上，看着上海污浊的天空，他感觉如在陌生的异域。路灯的光束穿过空气中的几乎胶结在一起的颗粒，形成某种丁达尔现象。离实习报到还有三天时间，回岛一趟也只是徒然来回奔波，但在这里则又是空荡荡的，真正的家徒四壁。那仿佛是处在一个沙漠中央，无人出没，没有回音。尽管与自己独处一贯是他所擅长的，但此刻陡然进入一种前景不定而又整日面壁的状态，连他也感到有几分难以忍受。上海据说是他的故乡，其实却又是个完全陌生的生态系统，一座无边的丛林。在那段时间里，他人生中头一次有了这样的感受：早上醒来时，常常想不起来自己是谁，或者身在何处。在岛上，美是简单的；而在上海，却是复杂的。

挨到周末，早早吃过午饭后，他又坐了两小时车去五角场找陆薇薇。在公交车上晃晃荡荡的时候，他几乎快要入睡了，看着这个巨大的迷宫中生活的万事万物，他感到不可思议的惊奇，而他，仿佛是在穿越一条漫长的甬道，去和遗落在时光尘埃中的故交重逢，却不知道是想要唤起什么。

路过外滩时，他下车来晃荡了一下，在雾蒙蒙的太阳下眯着眼，看着无数陌生的面孔在身边涌动。那不能算是游览，倒像是在寻找并确证自己：听说只有外地人才来外滩，而他则是一个"本地的外地人"或"内部的异乡人"。

226

第二次换乘时，他在车站旁找了个公用电话亭，打了个拷机给陆薇薇，故作轻松地说自己在同济大学这里找老同学，问她是否有空一见。他总是这样，每次出行就像布置一次作战计划，规划好行军路线，掌控时间节点，精确到分钟，并小心翼翼地注意不让人为难，似乎只是顺便，如果她没空也就算了，不用担心他会有任何抱怨。

她正在外面，和他匆匆约定了一个地点，说："我马上回来。"

他在那儿等了五分钟。她是打车过来的，下车就抱怨今天的102路等了许久都没来，就拦了一辆出租车。

他们一起走去她的住所。她刚才拦车过来还有点心急慌忙，慢慢调整着步伐和呼吸，他几乎能感觉到少女潮红的脸上散发出的微弱热量，以及心脏加快频率的跳动之声。由于共振，他感觉自己的心跳也略为加速。像那时在岛上一样，他也没说什么，但心里感到很安详，即便此际被一团热气所包围着。他甚至有一个念头，觉得如果能一直这样走下去也不错。另一个突如其来的想法是，他毫无来由地觉得在一年四季中，夏天时的她最美。这时候他又有几分责怪自己意志力薄弱，就这样轻易地谅解了她的所有缺陷。

房间里比上一次干净多了。桌上铺了新桌布，甚至还有一盆栀子花，虽然有几朵已将开败，令他想起多年前她房间里那种花朵萎谢的气息。他那时下定了决心，想好了，希望自己将来在葬礼上被栀子花所覆盖。

"你收拾过了?"他明知故问,碍于颜面,他没有说另一个更可能的答案。

她自己诚实地说出来了:"不,我妈来过。"

他解下背包,拿出一支珊瑚递给她:"你明天生日,给你的礼物。"她欢喜不已,抚玩了几下,回眸微嗔着说:"形式主义,上次怎么不早点带来?"他笑了笑说:"正是不形式主义,才没等到你生日当天给你。"

她把珊瑚放在栀子花边上,珊瑚晶莹的白色衬着栀子花的肥白,也有几分相配。他解释说,这是上次班上郊游去北戴河海滨,刚好看到,想起她一贯喜欢淡雅的色调,就买了,不过珊瑚应该是产自南方更温暖的海域,想必北戴河不可能是原产地,也不知到底正宗与否。

其实他没必要解释得如此详细,甚至到了令人扫兴的地步,仿佛不论对方是否真正在意,都要把所有事实一一和盘托出,包括那些让人不快的细节。这就是他常犯的错误:他以为别人也像他一样,把"真"和"事实"看得比"善"和"美"远为重要。

他们是怎样在那个房间里度过那个下午剩余的时光的,他后来已记不起来。或许只是在各自讲述自己这段时间以来是怎么过的,然而这些在当初经历时就已经足够乏味,再用短短几句话概述出来,更像是缩水的食物一样,带有一种难以下咽的味道。无论如何,他就这样浪费了两人单独相处的最后一个下午,而在当时,他们之间那种暧昧不明的状态,就像一个未成形的面团,或许本来还具有一定的可塑性,足可捏成某个稍稍愉悦人的形状,

228

而不至于土崩瓦解。但回过头说，那或许才是它应有的宿命：在成形分娩之前就注定要早夭。

再一次，他自作聪明、木知木觉、毫无意识，他觉得那是一个安详的午后时光，一如在数年前那样。那真是奇怪之极，在自认已发生了巨大改变的时刻，他竟能保持如此不可思议的自欺欺人能力，以为眼前的这个女孩子没有发生哪怕是一点点改变。看着她一如既往地温婉，他甚至隐隐有一阵说不出的害怕，就是那种在她家里面对她父母的殷勤和她的温顺时的那种害怕。

黄昏时，他们一起到外面翔殷路上去吃肯德基。那是她的提议，因为她懒得在家做饭，这样就算作是给她提前庆生了，虽然是如此寒酸——而且最后还是她争着埋单，理由是他还没挣工资。她以一个不可辩驳的常见理由结束了这场争执："等你挣钱了再请我吃餐更好的！"他原本就不善于这样抢着付钱的推让场面，就此默默退下，像是承认了自己的弱势，虽然在以往的时光里，一贯都是他在照顾她而非相反——但或许也因此，她才一定要抓住现在这个机会，似乎是要在他未来多赚钱之前打一个时间差。

她端着盘子过来时，若无其事地说了一句："换个四人桌吧，等会儿蒋春雨和她男朋友也会过来。"他漫应了一声起身找桌，并未在意。十分钟后那对情侣到对面就座，他才发现这意味着什么。那是他第一次见到她唯一的闺密，一个早就在信纸上存在过的名字，而那个出奇活泼的女孩子，也非常高兴于见到他："总算见到活的了！都听薇薇说起你五六年了。"她在他们面前无拘无束，仿佛今天是在为她庆生，对自己男友小鸟依人，撒娇发嗒。章承看得触目惊心，几乎要落荒而逃，他并不是没见过女孩子这样，更远非讨厌这样，而是他在此际尴尬地意识到，他和陆薇薇与对面这两人，俨然是两对情侣。

他低头慢慢地啃着鸡腿，吃在嘴里更像是一块肥皂。他端端正正地坐在自己的座位上，与自己的本能冲动展开着无声的斗争，直到把自己完全制服。也许是受他情绪的感染，陆薇薇的话也不多，也许她就是那时无声无息地做出了决定，放弃了希望，也未可知。那时他觉得这是对她的尊重。的确，出于他的道德洁癖，他从来没有任何非礼和轻薄之举，连可能被人联想到这一点的举动都没有。直到许久之后，她才有机会反驳他的这种自以为是的看法："你真正让我不可忍受的一点正是你对于我的过分尊重，仿佛不想触碰这个物体，甚至根本没有兴趣。让我感觉到无形的距离感。有好几次我都想放弃了。"是这样，并且最终，她也果真放弃了。

受到许燕如的召唤，他们约在淮海路的咖啡座见面。她有事想说。

她已辞去证券公司助理的职位。证券公司人事关系过于复杂，一些大户很难伺候，否则月薪四千，对于她这样刚毕业不久的新人而言也并非小数。她呷了一口卡布奇诺，看着窗外繁华的街市，轻声说："在上海待久了也很厌烦。"她说这句话的时候，不像是一个刚刚毕业的二十一岁的新手，倒像是一个饱经职场风云的老江湖。由于她在实习、打工中所积累的诸多社会经验，他无从质疑她这番感慨，但他误以为她的意思是像陆薇薇那样，要回到平静的小岛上去。她随后的解释推翻了这种假定："我想去外地，比如北京，最好是深圳，或者外国——新加坡、澳大利亚、英国都可以，两到三年。"

她终于谈到了未来，谈到了某些希望，但却不是在这里。他吸了一口气，揣测她这是不是在试探他，遂以一种方便做任何解释的外交辞令说："三年回来，世界都变了。"她不以为然，既像是轻蔑又像是责备地说："你不也离开三年了？"

他哑口无言。诚然，有梦想、有希望、有机会，那是好事，而且她想要的都是尽可能大的。这他无可厚非，只不过他觉得生活给人的希望，不大不小，甚至小到足以支撑着人活下去就够了。他倒不在乎她多么好强能干，本来面对她时，失败是他最擅长的事，每次无非是如何失败得更体面一些的问题。他也不在乎她在这些能力和物质层面超过他——直到许多年后他才听她亲口说起，她最恼火的也正是这一点——不过在当时，听到她要离开几年，他有一种奇怪而复杂的感受，既像是一个问题得到了进一步拖延，又像是为事情最终绝望但责任不在自己而松了一口气。

见到他不说话，她在沙发上向后靠着，尽量选取一个舒适的姿势。从她身上散发出的粉饼、香水混合而成的独有气息，散布在四周，包围了他所占据的战略位置，将这些空间都纳入了自己的临时领地。这个咖啡座的吊顶上装饰着幽暗的射灯，看上去所有客人就像是在一片星辰之下。她这样看着他，仿佛他体内的那个小男孩正在逐渐破壳而出。归根结底，只有当她把他看作是那个十五岁的小男孩时，才感觉有把握一些，实际上，她根本没想过他还能是其他什么样。正因此，她后来得知一切都无法挽回时才那样情绪崩溃。她那天从杨树浦路一直走到长阳路，边走边打电话（不错，她是同学里最早有手机的人，比他足足早了两年多），他听到电话那头闹哄哄的城市金属声音。她以一种竭力压制住的愤怒说，那就这样吧，也好，我现在不想见你，十二三年内都不想见你的面，等我老了再见你；和你面谈我很难受，这样打电话好多了。那时他静静握着电话想，她遇到自己的确也算是倒霉，他为此深感抱歉。

此刻，在咖啡馆里，她用一种几乎是教训人的口吻说："你看，你也不爱讲废话消磨时间，倒像期待自己说出来的每一句话都能立刻录下来印刷出版似的。又总是一副超然冷静的样子，即便说起自己也无动于衷，好像在说别人的事，又或者在做学术演讲。这方面你有洁癖，宁可不说话，也不愿随便说点什么。但这让我很难受。"

是的，你的感受，每次都是你的感受，他虽然没有起身反抗，但心底里充满了这样的声音，他不明白，自己从未挑剔过她的个性，为何她总是指控自己不够尽善尽美，仿佛两人中只有他单方面犯下了"不注意对方感受"这一不可饶恕的重罪似的。她未能体察到，对他来说，顽固几乎是一种美德，这样才确保了他不那么容易被外面的世界所改变。在以前，她总有办法利用他的负罪感，仿佛一直是他在欠她的，但如今，他觉得她这样指责完全是为了激怒他，别无其他更好的解释。

他坐在那里回忆了一下，那个少年的确曾陪她度过一段愉悦的时光，这是她本人也从不否认的，但直到此刻他才赫然意识到，他根本不清楚自己当初是怎么做到这一点的。在和女生的有限相处中，他从来没有学习什么手段和技巧，觉得那些花言巧语不仅轻浮，甚至根本就是不道德。至少在相处技巧上，他没有藏着什么：他早早就打光了手里所有的牌。他从来没有特意取悦过任何一个女孩子，正因此他才无法理解，为何自己当初能够取悦她。他只能将之归结为一个令人烦恼的事实：这世上只有人是不透明的行为系统。当然，他后来知道，可能有一种简单得多的解释：迄今为止他们之间的相处，都可悲地符合韦伯定律早已预见到的模式。

如果不是顾及礼貌，他几乎不愿意在这里待下去，给人的感觉实在糟透了，虽然按照他的苛刻界定，他们之间连恋情也不是，但此刻坐在桌子两端，简直就像是一对冷战已久的夫妇在谈判离婚条件。

他从心底里浮现的数十个可能的回复里挑出一个看起来最平淡的防御性应答："那只是我的方式。你当然可以不喜欢。"

她抬头揶揄说："你现在是飞行员了，服务性行业，也得有点笑脸吧？"那是他在上次会面中提及的，此时变成了她新的武器。她说出了自己的人生哲学："在理论之外还要有言辞和行动，你观测着那些遥远的星体，难道仅仅这样就能改变它们的相对位置？"

她毫不隐讳这一点：他就像一个患有阿斯伯格综合征的男孩，大脑回路与常人不同，对局限的兴趣和重复抱有特殊的癖好，钟爱刻板的活动方式，随时就能从隐蔽的口袋里掏出纸笔记下点什么。尽管他有时表现出对过往事件的惊人记忆，但那与其说是深情所致，不如说是他对事件和日期的收藏癖一般的偏好，就像是记忆火车时刻表和彩票号码。但她的重点并不是要批评他的兴趣爱好，只是在指责他缺乏行动的爱无能，仿佛此刻她是在耐心地教导一个自闭症患者如何去适应社会生活，尤其是最难的恋爱课程。他的确从未对她说过那三个字，按迈克尔·波兰尼的名言，"我们知道的总是比告诉别人的要多"，但在他这里，则要多得多得多，而他竟然以为自己不说别人也知道了，仿佛他具有发射脑电波的特异功能。

他没有做自我辩解，他对此一向不在意，也深知在她面前做这样的努力是无效的，甚至可能招来更进一步的打击。于是转移话题做了最后的努力：

"你一定要出国吗？"

"现实如此。你想想我的处境就明白，我一向没有选择。"她说。

他觉得某种无可挽回的气息从前方涌来，仿佛在现场有人喷涌出由这种气息凝结成的干冰。最后，他坚定地反驳了一句：

"不，你一向都有。"

住所终于渐渐布置好了，好歹也像个家的模样。他和赵震上街去买了一张折叠餐桌和四张椅子，以及一块用以遮挡炽烈阳光的深蓝色窗帘布，餐具和碗筷自然更必不可少；然后又花了一百块钱淘了个破旧的 21 英寸彩电，再买了一个旧的 486 电脑，至少凑合着能打游戏和上网。闲下来的时间，两个男生就在那儿研究菜谱，毕竟天天在外面吃盒饭也太腻了。他们为第一次自己动手布置起这里的空间感到高兴，仿佛那是一次手工实践课。有时他们也会在房间里踱步看看还缺点什么，想使它看上去不至于太过粗糙而给人留下一种"男生住的地方就是狗窝"的印象。在当时明亮的阳光下看来，他们兴奋地觉得那完全适合成为一出喜剧的背景，只是到后来才明白，同样的道具在夜里凄凉的灯光下看来，不得不承认更像是为最后的悲剧而精心设置的舞台布景。

他想着什么时候约陆薇薇过来坐坐，其实上次她生日会面时，他就已经画了交通示意图给她，把小区周边的小巷和里面的几栋楼都画出来了。到九月初，在和她约定日期的前一天，他和赵震把家里仔细擦洗了一遍，甚至去买了一束白百合。两人在地板上嬉笑到半夜，聊起高中时那些可笑的事，他们曾共同喜欢过的这个女孩子，以及草稿犹在的《陆薇薇论稿》，仿佛都还在昨天。

午后，她打电话过来，约定了晚上六点半到，他说好。她犹豫了下，又说："我再带个人过来好不好？"他毫不在意地说："那当然好了。是蒋春雨吗？"

"不，是我男朋友。"她扔出了一颗高爆弹。

他惊呆了。尽管隔着漫长的电话线，甚至有几分杂音，那冲击波依然威力惊人，霎时间让他丧失了对周围声响的感知。

"喂喂，你在听吗？"她说。

"好。我等你们。"他恢复了镇定，说出那五个字时，仿佛正目睹地球毁灭。

那天他早早下了班，买菜上楼也已六点多了。七点，客人到了。他敞开大门，背对着门口，在厨房里挽起袖管洗菜。他有意把这固执而冷淡无礼的背影留给来客看，像是一份抗议，但他用力洗菜的样子则暴露了他的内心，那更像是出于自我惩罚在洗刷耻辱。她一进门就抱怨他画的地图不准，他俩下车后不知道怎么走，害她多走了许多冤枉路。她背后的那个陌生男生倒颇为友善地向他问好。握手时章承看了他一眼，身形很高，右脸颊上有一块青记，坐下时很注意地坐在章承的右边，大概以免那块青记被人看到。

寒暄了几句，那个男生说："薇薇常说起你，说你是她最要好的朋友，所以不好意思，也来叨扰一下。"一问，他们相识才不过两个月。他说自己刚读完天体物理学硕士，于是他们自然而然地聊起了共同感兴趣的话题，仿佛两人相识多年，而陆薇薇则作为他新结交的女友带来让老朋友认识一下而已。

这样聊了一阵，赵震回来了，因为要主厨，他今天已经算是特意早些下班了。看到陆薇薇时，他点头微笑，打了个招呼；但看见她旁边的男生，神情变得十分古怪。趁他们去隔壁房间看看，他凑近过来低声问章承："这男的是谁？"

他好像一个不得不供认自己罪行的嫌疑犯，低头说："她男朋友。"

"你不会那么土吧？"赵震几乎合不拢嘴巴，隔了几秒，指着桌上那袋他们带来的礼物，压低声音说，"这一袋水果就算是你的青春损失费了?"他报之以苦笑。

客人们很快参观完兜转回来,她问:"今晚谁是大厨?"章承指了指赵震。她笑笑说:"不会吧?"赵震似乎好没气地怪声说:"为什么不会?"她说:"我看你最懒了。"赵震脸色当时便很不好看。

只有他能理解她为什么脱口说出那样奇怪而突兀的话来。她不是有意如此,只是当时房间里仿佛充斥着湿度极大的空气,让人胸闷难受,她只是试图开开玩笑调节下气氛,但那却不是她能驾驭得了的,终于不小心弄巧成拙。

吃饭了,也没什么可说,只是喝了点酒。她喝得最多。饭后章承去刷锅。到八点多,那个男生回了个电话之后礼貌地先行告辞了。剩下的三个人都沉闷不语,仿佛在比拼"谁先开口谁就输"的游戏。终于,章承先开口说:"我送你下楼吧。"无论如何,在客人尚未提出要走之前说出这样的话,这几乎就是一个无礼的驱逐令,但她明白他的意思,像往常那样温驯地点了点头。

在黑暗的楼道里,他在前方带路,她随后不即不离地跟着。他的声音听上去闷闷的,仿佛从数十米深的地底传来。他低声说:"你今天真让我吃惊,怎么这事我一点都不知道?"她声音颤抖,像是一个反抗家长的少女,竭力用冷冷的语调说:"你什么时候关心过我这方面的事了?"他无言以对。隔了一阵,他说:"对不起。"但这么说的时候,他没有回头看她,以至于这句话更像是对自己说的。

在那黑暗中,他们都好像摸索着寻找出口的鼹鼠,不仅是在寻找光亮，还在摸索着如何说出自己的感受。他沉沉地落下一级级台阶时，仍然叮嘱着她要小心。那时他骤然意识到，这就是他的问题所在：对于感情，对于爱，他从来既不索取，也不接受，他从来都是在给予中获得的愉悦更大。她是说过这样的话，"在你的世界里，我好像是多余的"；那一瞬间，他知道自己罪孽深重。他所自诩的慎重，难道不是对她的折磨吗？这么长久以来，他们维持在一种难以确定的状态，让她感到挫败和沮丧，因为他看起来就像是一个具有充分自足性的星体，有一个其他事物无法介入的引力场，以至于哪怕是增加一颗卫星都显得多余。在某种意义上，他的确是另一个世界的居民，除了食物、水和空气，不依靠这个星球上的其他事物存活。如果她觉得自己的存在对他无关紧要，那只是表达了一种虽不正确但可以理解的女性直觉。

到楼下，两个人从幽暗的洞穴里爬出地表，恢复了呼吸顺畅，仰头看到大颗大颗的星辰已升到夜空。它们如此明亮，甚至完全不顾及当时根本无须如此明亮的背景。

他此时终于切换回他们以往更为习惯的对话语种，用老家方言问："这事体你家里晓得了？""我姆妈晓得了，"她低声应了句，仿佛是做错了什么事受老师责备一样，隔了一会儿又加了句，"伊今朝中午还在电话里问起你的情况。"

两人再度恢复到无话可说的状态，在月光树影和喧闹的市声中走了一程，以至于她之后的话几乎难以听见，她小声说："我妈说，你可能有点喜欢我。我说不可能。你一直是那样，又认真又严肃。再说你也从来没说过那样的话。"

从没说过，唉，的确如此。这是无可反驳的指控。最后一句让他厌烦，因为许燕如也提出过同样的指控，他讨厌这种被人逼迫和催促的感受，但嘴巴张开，那点力气却无影无踪。毕竟，这难道是她的错吗？他想鼓起仅剩的意志向她提出分手，以修补自己受伤的尊严，然而那是更可笑的，因为他们不存在什么固有的明确关系能让他得以提"分手"这件事。想到自己犯下了和许燕如同样的错误，相信超距作用的存在，以为在另一个人那里始终保有一份自己可以随时回来的特权，他感到心灰意冷又无地自容。

在一片死寂中，他问道："那这事你怎么考虑？"她不知是倔强还是在期待他更坚决的回应，不肯退让地说："我考虑过了，没什么呀，我们不是一直是好朋友吗？所以我想你们也认识认识而已。"他断然表示自己不想夹在中间。她嘟囔了一句："哎呀，我们不是好朋友嘛，再说你也一直知道，我初中、高中，直到大学都有男朋友，我没瞒过你。"这又是令人哑口无言的事实，以至于看起来她有足够的理由认为他的反应是不可理喻的，既然他之前也并未做出过任何反应——且不说激烈反应——为何这第四次构成了例外，那是奇怪而不可索解的。

他只能不加解释地提出最后的无理要求："以后不要带他来了，彼此都尴尬。"她故作镇定："大家不都是朋友吗？""那你生日那天怎么不叫他过来？我们可以认识一下。"他心底里早已盘算过，相识两个月，那也就只是在他刚回上海前夕结识的。她淡淡地说："我没和他说过生日的事。"

谈话于是回到一种几乎是嘱托的模式：

"他人好吗？"

"他不错呀。"

在车站分别之际，她重申了一遍，仿佛是在安慰他："我们一直是好朋友。"

"嗯，那么就好朋友吧。"他也以此安慰她，并在这一刻默默修订了对"好朋友"的定义。

等那辆车消失在沉沉的暗夜里，他感到一阵难以说清楚是沮丧挫败还是如释重负的感觉不可遏止地涌上来，恰似那种陈年老白酒的后劲上头，令人几乎想要蹲下来呕吐。他忽然预感到，这将是他在临终的病榻上会回想起的事。到那时候，在某种不可预期的召唤中，他想象自己会在时光之流中看到发生的一切犹如粒子和波浪以恒定的节奏缓缓涌来，在那种碎片般混乱无序又缤纷美丽的幻象中，他可以找到平静的归宿。

在滑行了一段距离之后，飞机像一只肥胖的猫，骤然一跃而起。在空中看，车辆、行人在地表上爬行，尘埃与声音都不见了，这与地面上那种活生生的纷杂乃至脏乱迥然不同。他喜欢这个虚拟的世界，具有某种俯瞰的快乐。只有在这里，你才由衷地感到这是个梦幻般的星球，原谅了它的一切平庸。说实话，生活只是一场布朗运动。无规则地相互撞击。不可预测，永不停歇。每个人，就像是一个粒子，你从高处看，他们就像是在做布朗运动，各有自己不规则的轨迹，组成一个动态、混沌而充满不确定的宏大图景，在人际网络节点互动的非确定性后果中，涌现出世间的悲欢离合。他们有时撞击，有时被一些人的轨道捕获，彼此吸引和排斥，那是万有引力存在的明证。

在这里，许多人和事都变成了意识中没有形状的模糊影像。那些幻象值得爱吗？也许，只有幻象才是最值得爱的。虚无才是最为坚实的。他在这里凝望着，就像凝望着过往的时空。他想起维特根斯坦曾说过的话："假如有人准备说：'想一想蝴蝶究竟是什么，那么它的美将会被丑所替代。'"是的，正是如此，没有什么能经得起审视。

空中下着雨，有一点旧日的柠檬味道。这一次，至少他不会在雨中迷路。在高空中，巨大而连绵不断的积云，像湿漉漉的棉被一样压抑。在超越了云层之后就是一片虚空。每次想到云上无雨，想到雨从一朵朵云层里往下滴落，他就觉得那像一个个巨大的莲蓬头。有一刻，他想起如果被分派驾机去做人工降雨，那将是一个他乐于接受的任务：那样，他就将通过喷洒溴化银，暂时变身为这个城市的雨神，而那或许会改变很多人的命运。一场雨会给整个城市带来生活气氛的改变，为芸芸众生制造麻烦或创造机会：有些人或许因为路滑撞车而相识，有些人会因此提早回家吃晚饭，而有的女孩子或许有了机会躲进本已心仪的男生伞下。那时候，他将欣慰于自己所创造的人间奇迹。

在一万米高空的平流层里，他看到了光与寂静，一个虚无空间。壮丽的云霞在前方生成，天地初辟的景象想来也不过如此。在这远离尘世的地方，他陷入了一种沉思般的幻觉：外部世界也许真的是一种类似于量子态的东西，他不观察就不存在。在这里，他头一次感觉摆脱了记忆的重力，或者说，在某种程度上那些记忆就像火箭助推器，在推动他升入高空后，就一级级分离，留给他一种不真实的自由。

在驾驶舱里，他获得了一种超感官的洞见，好像能同时看到四面八方，乃至时间之流。他想到爱因斯坦所说的，"过去、现在与未来的区别只是一种幻觉，虽然这种幻觉很难避免。"由此，他沉浸在一种从未有过的安详之中。在天文单位下，个人的任何悲欢都微不足道了，过往至多只是一阵细浪。那合乎物理学上的黑洞无毛定理：在这里，对前身的物质都不再有任何记忆。那个漫长的、持续数年的通过仪式，就此尘埃落定。确定无疑的，他预感到自己会热爱这份职业：在这个万事万物都发生了动摇的世界上，只有这里如此平静，就像是一个时光旅行者在一个个群岛般的星体之间经过漫长的旅行之后，最终回到了来生。

（全书完）

无岸之岛

产品经理｜吕青浦　　装帧设计｜王　易
营销经理｜朱德轩　　责任印制｜路军飞
技术编辑｜丁占旭　　出品人｜曹　曼

图书在版编目（CIP）数据

无岸之岛 / 维舟著. –– 天津 : 天津人民出版社,

2019.7

ISBN 978-7-201-14758-1

Ⅰ.①无… Ⅱ.①维… Ⅲ.①长篇小说－中国－当代

Ⅳ.①I247.5

中国版本图书馆CIP数据核字(2019)第100564号

无岸之岛
WUANZHIDAO

出　　版	天津人民出版社	
出 版 人	刘　庆	
地　　址	天津市和平区西康路35号康岳大厦	
邮政编码	300051	
邮购电话	022-23332469	
网　　址	http://www.tjrmcbs.com	
电子信箱	reader@tjrmcbs.com	

责任编辑	孙　瑛	
特约编辑	康嘉瑄	
产品经理	吕青浦	
装帧设计	王　易	

制版印刷	天津丰富彩艺印刷有限公司	
经　　销	新华书店	
发　　行	果麦文化传媒股份有限公司	
开　　本	880×1230毫米　1/32	
印　　张	7.75	
印　　数	1-6,000	
字　　数	160千字	
版次印次	2019年7月第1版　2019年7月第1次印刷	
定　　价	42.00元